Collection à la Découverte

**LA CONSERVATION
LES MICROBES
LES COW-BOYS**

Collection
à la Découverte

Rédacteur en chef **ANDRÉ SAINT-PIERRE**

Directeur de la rédaction ÉDOUARD HUMPHREY

LA CONSERVATION
LES MICROBES
LES COW-BOYS

GROLIER LIMITÉE • Montréal

© Copyright 1969 by Grolier Limitée, imprimé au Canada
ISBN 0-7172-4300-1

LA CONSERVATION

LA PROTECTION DE LA NATURE

par F. C. SMITH

Illustrations par RENÉ MARTIN

Version française par CLAUDE MÉLANÇON

DONNANT, DONNANT

Le monde est habité par près de trois milliards et demi d'humains et par des milliers d'espèces de plantes ou animaux, tous différents les uns des autres. Un moustique se distingue d'un ours ou d'un homme; une moisissure, sur un bout de pain oublié, ne ressemble guère à un chêne majestueux. Mais ce sont tous des êtres vivants, quels qu'ils soient, et ils ont ceci de commun: l'existence de chacun d'eux dépend de celle des autres.

Pour vivre, chacun doit emprunter quelque chose à une plante, à un animal ou même parfois à un minéral, dénué de vie. Et chacun donne quelque chose en retour. Les plantes croissent et se développent grâce aux minéraux qu'elles tirent du sol et qui proviennent souvent de la décomposi-

tion d'autres plantes ou d'animaux morts. Car, après leur mort, les bêtes et les plantes rendent à la terre une partie de ce qu'elles en ont reçu.

Les arbres portent les nids des oiseaux qui, à leur tour, mangent les insectes, généralement nuisibles aux arbres.

Dans la nature cet échange constant de bons procédés ne cesse jamais. Bien entendu, ni les plantes ni les bêtes n'en sont conscientes. Elles ne font que vivre en empruntant à d'autres êtres vivants, à la terre, à l'eau, à l'air et au Soleil les éléments dont elles ont besoin. C'est le cours naturel de la vie sur terre depuis des millions d'années.

A la base de ce système d'échanges, complexe et bien équilibré, il y a les plantes vertes. Sans elles, nulle vie ne serait possible ici-bas. L'homme peut construire des métropoles ou des avions supersoniques mais il ne peut se nourrir des matières brutes que la nature met à sa disposition. Seules les plantes vertes en sont capables. Non seulement elles élaborent leur propre nourriture, mais elles en fournissent à tous les êtres vivants. Parmi les animaux, certains, tels le lapin, l'écureuil, la vache ou la biche, se nourrissent de végétaux; d'autres, comme le lion ou l'épervier, à l'instar de l'homme, sont mangeurs de chair.

Aidées par la lumière solaire, l'air, l'eau, les minéraux du sol, les plantes vertes sont de véritables alchimistes: de l'air, elles extraient du gaz carbonique, du sol, des minéraux dissous dans l'eau. Grâce à la chlorophylle qui les imprègne et leur donne leur belle couleur verte, elles absorbent les rayons solaires et en prennent l'énergie qui leur est nécessaire pour transformer ces éléments bruts en une sorte de sucre dont elles se nourrissent.

Du sol, les plantes extraient des minéraux qu'elles combinent avec les sucres et dont elles font les graisses, protéines et hydrates de carbone qui se trouvent dans les racines, les tiges, les fruits et les feuilles dont d'autres êtres vivants se nourrissent. Cette élaboration des substances nutritives à l'aide de la lumière solaire, du gaz carbonique et de l'eau est la photosynthèse (soit: mettre ensemble à l'aide de la lumière). C'est là un phénomène que la science n'a pas fini d'étudier.

Au cours de ces échanges naturels, les plantes rendent certaines substances à l'air et au sol. Elles produisent de l'oxygène à partir du gaz carbonique qu'elles ont absorbé. Les animaux inspirent l'oxygène et expirent le gaz carbonique dont les végétaux ont besoin. Ces derniers aident également à entretenir l'humidité de l'air: de l'eau aspirée par les racines, ils retiennent ce qui leur est nécessaire et le surplus s'échappe des feuilles sous forme de vapeur.

La plupart des plantes perdent leurs feuilles qui forment à la surface de la terre un tapis spongieux retenant l'eau de pluie dont il s'imbibe. Leurs racines gardent le terrain meuble, permettant ainsi à l'air et à l'eau d'y circuler. En même temps, elles fixent le sol, l'empêchent d'être lavé par les pluies torrentielles. En pénétrant profondément dans la terre, les racines rendent des services inappréciables.

En retour des emprunts qu'ils font à l'air et à la terre, les végétaux dégagent de l'oxygène et de l'humidité et aident à maintenir le sol en bon état.

Il y a aussi des échanges utiles entre les plantes à chlorophylle et celles qui en sont dépourvues, des végétaux inférieurs comme les bactéries ou les champignons. Ceux-ci forment un groupe nombreux et varié, dont les espèces vont du champignon comestible, girolle ou bolet, aux moisissures du pain ou du fromage. Les petites boules ou nodosités, sur certaines racines, sont dues à des bactéries.

Privés de cholorophylle et incapables d'élaborer leur nourriture, les champignons et certaines bactéries la tirent de plantes, mortes ou vivantes, et d'organismes animaux. Les bactéries, trop petites pour être vues à l'œil nu mais innombrables, vivent aux dépens des êtres vivants animaux ou végétaux, dans l'air ou dans le sol. On a calculé qu'une étendue d'environ 4 000 m² (1 acre) de bonne terre nourrirait trois grosses marmottes, d'environ 15 kg (30 lb) chacune, mais assurerait la subsistance d'une centaine de kilos de bactéries et de tout autant de champignons ou de bestioles microscopiques.

Tous ces êtres vivent aux dépens d'autres organismes, dont ils provoquent la décomposition, transformant les substances animales et végétales en éléments chimiques de plus en plus simples. Ces derniers retournent à l'air sous forme de gaz, carbonique ou autre, et au sol sous des formes utilisables par les plantes à chlorophylle. Les bactéries et champignons sont donc de précieux auxiliaires, car, sans la décomposition qu'ils causent, le gaz carbonique de l'air s'épuiserait en une quarantaine d'années, ainsi que l'azote et d'autres éléments importants du sol. La nourriture du monde entier dépend d'eux.

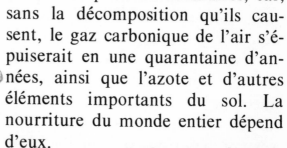

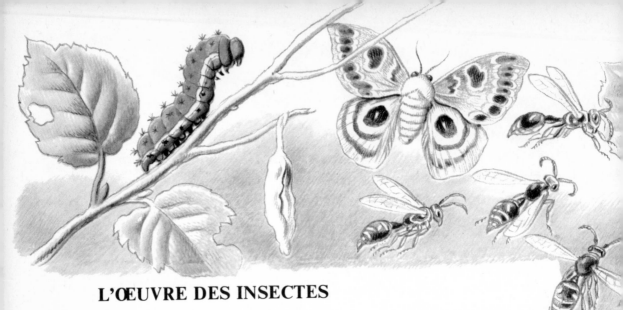

L'ŒUVRE DES INSECTES

Selon certains spécialistes, il y aurait cent fois plus d'espèces d'insectes dans le monde qu'il n'y a d'étoiles qui brillent au firmament; et pourtant elles sont innombrables! Les insectes grouillent autour de nous, dans l'air ou sur la terre. Ce qui les caractérise, c'est le fait qu'ils changent de forme à mesure qu'ils se développent. Un faon ou un lapereau sont des miniatures de leurs parents, daims ou lapins, mais une chenille n'évoque guère le papillon qui lui a donné le jour. La vie des insectes, sous quelque forme que ce soit, est liée à celle des plantes vertes. Les chenilles et d'autres sortes de larves, des insectes adultes comme les pucerons, se nourrissent de plantes; d'autres, tels le papillon et l'abeille, du suc des fleurs. Les insectes carnivores dévorent ceux qui se nourrissent de végétaux.

Nombre d'insectes vivent sur les plantes. Un arbre peut

abriter des milliers de pucerons. La
mante religieuse et certaines chenilles vivent dans les buissons ou au
revers d'un rameau. D'autres chenilles tissent une toile, véritable
tente où elles s'abritent. Il y a des
insectes qui cachent leurs œufs
dans le tissu de la feuille ou de la
tige. La guêpe cartonnière fait son
nid avec une espèce de carton
mâché qu'elle fabrique avec du
bois.

Certains prennent l'apparence du
végétal où ils vivent et y sont invisibles: c'est le mimétisme. Une
sauterelle ou un puceron vert se
confondent avec la plante sur
laquelle ils se trouvent. Le bacille
ressemble à une brindille.

Pourtant, sans l'aide des insectes, bien des fruits, certains légu-
mes aussi, disparaîtraient. Ce sont

les abeilles et les papillons qui rendent les plus grands services dans ce domaine. Et voici comment: les étamines des fleurs sont couvertes d'une poudre fine et dorée, le pollen, qui doit passer d'une fleur à l'autre, pour que celles-ci soient fécondées, afin que les fruits se forment. Les plantes ne peuvent échanger leur pollen toutes seules, le vent les y aide, en les agitant doucement et en transportant les grains légers d'un pied à un autre; mais ce sont surtout les insectes qui s'en chargent.

En butinant de fleur en fleur, l'abeille recueille, sur les poils fins qui recouvrent ses pattes, des grains de pollen qu'elle déposera ensuite sur une autre fleur. Elle assure ainsi la fécondation, la formation de fruits et de graines dont sortiront de nouvelles plantes. Parmi les insectes, l'abeille est le plus important des agents de pollinisation. Dans les grands vergers, il y a toujours des ruches. Les fructiculteurs s'assurent ainsi le concours de ces précieux auxiliaires que sont les abeilles, pour obtenir des récoltes abondantes tous les ans.

Les termites, parfois appelés fourmis blanches, sont des insectes mangeurs de bois. Des animalcules infiniment petits qu'ils ont dans l'estomac les aident à digérer, à transformer le bois en éléments chimiques simples. Ils causent d'énormes dégâts en rongeant le bois des maisons ou autres constructions mais rendent service dans la forêt, où, avec les champignons et les bactéries, ils convertissent les détritus végétaux, le bois mort, en éléments chimiques qui retournent à l'air et à la terre. Leurs corps comme ceux des insectes morts en général, enrichissent le sol en se décomposant. Les fourmis et autres insectes fouisseurs creusent des galeries dans le sol, ce qui permet à l'eau et à l'air d'y circuler et est favorable au développement des végétaux. En creusant, ils ramènent la terre du dessous vers la surface où, fertilisée par des éléments chimiques et sans cesse renouvelée, elle constituera une meilleure nourricière des organismes végétaux.

C'est aux insectes que nous devons la présence des oiseaux dans les bois et les jardins, car ce sont eux qui les nourrissent. Ils constituent également un aliment de choix pour les araignées, pour les crapauds et les couleuvres, pour certains mammifères, et même pour quelques autres insectes. Ainsi, les fourmis se régalent d'un suc que les pucerons sécrètent; elles les traient comme nous trayons les vaches pour leur lait, mais d'une autre façon: de leurs antennes, elles tapotent doucement les pucerons, qui lais-

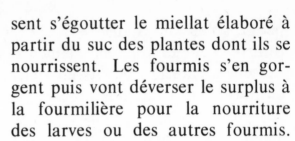

sent s'égoutter le miellat élaboré à partir du suc des plantes dont ils se nourrissent. Les fourmis s'en gorgent puis vont déverser le surplus à la fourmilière pour la nourriture des larves ou des autres fourmis. Elles constituent souvent des troupeaux de pucerons, qu'elles élèvent, mènent "paître" sur leurs plantes nourricières, défendent contre leurs ennemis, jouant à la perfection leur rôle de vachères. C'est là un trait particulier, illustrant la vie en commun si bien organisée des fourmis.

Cette association fourmis-pucerons peut, à première vue, sembler défavorable à l'homme, en raison des dégâts que ces derniers causent à certains arbustes ou arbres, mais les services que les fourmis rendent en détruisant quantité de chenilles et insectes nuisibles et en contribuant à l'aération du sol sont bien plus précieux.

Nuisibles ou bienfaisants, les insectes ne le sont pas à dessein; ils suivent simplement le cours de leur vie. Nombreux sont ceux qui abîment les récoltes et les fruits des vergers ou qui, comme le moustique anophèle, propagent des maladies graves, mais leurs méfaits sont souvent dus au fait que l'homme a rompu l'équilibre qui régnait dans la nature.

. . .ET CELLE DES BÊTES

Toutes les bêtes, oiseaux, serpents, poissons ou mammifères ont besoin des plantes, pour s'y abriter, se protéger contre leurs ennemis et se nourrir. L'écureuil bâtit son nid dans le creux d'un arbre, noyer ou autre, dont il mange les fruits durs. En cas de danger, il grimpe à l'arbre et se cache dans son trou.

Un lapin, herbivore par excellence, poursuivi par un renard, carnivore, court en zigzag dans l'herbe et se réfugie dans un buisson touffu, ou dans son terrier où l'ennemi ne peut le suivre.

En survolant un étang, une troupe de canards sauvages en voit les bords couverts d'herbes et de roseaux, qui offrent abri et nourriture, et elle s'y pose.

Une truite qui moucheronne voit son repas interrompu par une loutre en quête d'un bon dîner. Une touffe d'herbes aquatiques peut la sauver d'un sort cruel.

Les bêtes se servent des plantes et leur rendent, en retour, bien des services. Le chêne et le noyer, où l'écureuil s'abrite, ne peuvent disséminer leur semence; ce sont les oiseaux ou de petits animaux, comme l'écureuil ou le tamia, qui les aident. Ces derniers enfouissent dans le sol, pour en faire des réserves, des glands ou des noix, qu'ils oublient parfois de déterrer et dont sortiront de nouveaux arbres. Les oiseaux prennent dans leur bec des graines qu'ils emportent vers leur nid; celles qu'ils laissent échapper retombent à terre où elles germeront. Les petites graines de certaines baies, dont les oiseaux sont friands, traversent leur tube digestif et retournent au sol, donnant naissance à de nouvelles plantes ou arbustes. Il est des graines recouvertes de petits piquants ou d'un enduit gluant qui s'accrochent aux poils ou aux plumes de l'animal et s'en détachent plus loin, pour donner une nouvelle

plante, si le terrain est favorable. Un chien qui rentre à la maison, des chardons accrochés à son poil, s'en débarrassera en se grattant énergiquement. Un lapin ou un raton laveur les fera tomber dans les bois ou dans les champs, ensemençant ainsi des chardons.

Les oiseaux sont des agents de pollinisation, tout comme les insectes.

La vie de bien des bêtes dépend de celle des insectes. Les serpents, les poissons, les grenouilles et crapauds, et même les ours, moufettes et ratons laveurs en sont friands. Les oiseaux, eux, en font une grande consommation. Ils en nourrissent leurs petits qui naissent au printemps, saison où la végétation est propice à la multiplication des insectes.

Ce lien qui rattache entre eux les divers êtres vivants, qui les fait dépendre les uns des autres pour leur subsistance, constitue une chaîne sans fin. Le premier maillon en serait représenté par les plantes vertes; des insectes par milliers s'en repaissent qui, à leur tour, servent en été à fournir la becquée à tant d'oisillons affamés.

Voici d'autres exemples:

Une souris des champs grignote les racines d'un jeune plant de maïs. Sort-elle la tête de son trou? Vif comme l'éclair, un épervier plonge et l'emporte aussitôt.

Entre les rangs de cotonniers, un animal étrange, une sarigue ou opossum, se dandine au clair de lune: il fait la chasse aux rats qui rongent les plants de cotonnier.

Dans les hautes herbes d'une prairie rampe une couleuvre, longue de près de 2 m (6 pieds) en quête d'une proie pour assouvir sa faim. Quelque petit rongeur, en train de dîner d'herbes, sera avalé d'un seul coup.

Un soir d'hiver, à la lisière d'un bois, un lapin grignote l'écorce tendre d'un arbrisseau. Un mouvement vif sous la futaie, un bond, et le petit rongeur se trouve puni en servant de dîner à maître renard.

Dans les champs et les bois, il y a probablement plus de rongeurs que les plantes sauvages ne peuvent en nourrir. En en éclaircissant les rangs, l'épervier, l'opossum, le serpent et le renard rendent service à l'homme.

Même si certaines bêtes causent des dégâts, en grignotant les racines ou les plantes de maïs et de cotonnier, l'herbe ou les cultures du fermier, en entamant l'écorce de ses arbrisseaux, elles lui sont utiles par ailleurs. Les galeries et les nids souterrains creusés par les rats des champs, les taupes, tamias et autres rongeurs facilitent la pénétration de l'air et de l'eau dans le sol. En outre, en servant de nourriture aux carnassiers, comme le renard, ces petits animaux l'éloignent des basses-cours.

LES SPÉCIALISTES

Certains animaux accomplissent des tâches spéciales. Ceux qui subsistent de matières en décomposition, les charogniers, nettoient le terrain. Ils comprennent les vautours et les insectes dits nécrophores, auxquels se joignent à l'occasion les aigles, les corbeaux, les coyotes, les chacals et les ours. Avec l'aide des bactéries et des champignons, ils empêchent l'accumulation de corps en décomposition.

Le castor, lui, est un véritable constructeur spécialisé. Il dresse des barrages en travers des cours d'eau où il habite. Il rogne de ses fortes incisives, en forme de ciseau, des troncs d'arbres qu'il abat. Puis, aidé des siens, il les traîne au lieu voulu et, avec des pierres et de la boue, il dresse un barrage, derrière lequel se formera un étang.

Au milieu de l'étang ou dans la digue même, le castor construit son terrier, tapissé de mousse sèche et dont l'entrée débouche sous le niveau de l'eau. Il y accumule des provisions de racines, de feuillages et d'écorces d'arbres. L'étang qui lui sert de demeure abrite aussi d'autres êtres aquatiques: poissons, canards et oies sauvages, rats musqués. Il aide également à prévenir les inondations: à la fonte des neiges ou après de fortes pluies, les eaux de la rivière sont arrêtées par la digue des castors, leur cours se ralentit, elles s'étalent, le limon qu'elles charrient se dépose et elles ont le temps de s'infiltrer plus profondément dans le terrain.

Après avoir rongé l'écorce des arbres autour de leur étang, les castors déménagent. Le barrage qu'ils avaient élevé se désagrège, laissant filtrer l'eau, et l'étang, une fois sec, laisse derrière lui un sol riche et fertile. Maintes prairies verdoyantes et maints champs fertiles, des pays où l'on trouve des castors, n'ont d'autre origine qu'un ancien barrage fait par ces constructeurs habiles et actifs.

Le ver de terre est un spécialiste dont l'utilité est méconnue. Il se nourrit de feuilles et de débris végétaux qu'il trouve à la surface du sol, généralement la nuit, moment que les pêcheurs à la ligne choisissent pour le ramasser comme appât, mais il rend surtout service en amendant les sols. En creusant sa galerie, il ingurgite de la terre dont il digère une partie. Il rejette le reste sous forme d'une poussière fine, imbibée de sucs digestifs ou autres, qui se dépose sur le sol. Ces résidus ont, par endroits, recouvert la roche d'une couche de terre fertile. Beaucoup d'endroits ne seraient guère favorables à la culture, sans le conditionnement du sol, œuvre des humbles vers de terre.

De toutes ces manières, et de bien d'autres encore, la vie des plantes, celle des insectes et des animaux en général sont étroitement liées entre elles aussi bien qu'à la vie de l'homme. Sans plan arrêté, en poursuivant tout naturellement le cours de leur vie, d'instinct, tous ces êtres vivants se rendent mutuellement service. Et, grâce à eux, la terre produit tout ce dont l'homme a besoin.

L'homme ne s'est rendu compte qu'assez tard à quel

point sa vie dépendait de celle de tous les autres êtres vivants. Il s'est servi sans compter de ce qu'il appelait ses ressources naturelles: de la forêt et de la prairie, des bêtes sauvages ainsi que du sol et de l'eau dont il subsiste, en les considérant comme des biens qui lui revenaient de droit. Il considérait qu'il y avait sur terre assez de plantes et d'animaux, de sol fertile et de cours d'eau, pour répondre indéfiniment à ses besoins. Jusqu'à une époque assez récente, il n'a guère prêté d'attention à la loi fondamentale du "donnant, donnant". Il a pris tout ce dont il avait besoin, sans compter, en oubliant que tout ce qui vit, l'homme compris, doit donner quelque chose en échange de ce qu'il prend à la nature.

Nos actes exercent une influence importante sur ceux de notre prochain et sur tout notre entourage. Les savants qui étudient les effets de l'activité humaine en sont arrivés à la conclusion que l'homme a gaspillé les ressources naturelles et qu'il est grand temps de chercher à les protéger, à sauvegarder ce qui en reste.

L'étude des relations entre les êtres vivants de toutes sortes et leur milieu fait l'objet de l'écologie. Les spécialistes ont étudié les aspects, passé et actuel, de la vie sur notre planète et ont établi que la situation ne cesse de s'aggraver. Ils cherchent les moyens de la rétablir.

LA TERRE AUTREFOIS

Il y a des centaines et des centaines d'années, avant que la population de la Terre n'ait été aussi dense qu'aujourd'hui et lorsque les grandes villes n'existaient pas encore, l'aspect de notre planète était tout autre: elle était couverte de forêts sans fin, dont n'émergeaient que les plus hautes crêtes des montagnes. C'était un monde étrange et merveilleux. Un tapis moelleux de feuilles mortes recouvrait le sol, l'air était pur et frais, le feuillage épais des vieux arbres entretenait une ombre crépusculaire. Dans les clairières, les rayons du soleil brillaient sur les jeunes arbres, les arbustes et les buissons qui se rassemblaient dans cette flaque de lumière vivifiante.

Tous les animaux qui habitaient cette forêt vierge, ses clairières et ses étangs, vivaient les uns aux dépens des autres, depuis l'insecte jusqu'au cerf élégant qui, en broutant les feuilles et les branches basses des arbres, facilitait l'arrivée de l'air et du soleil nécessaires à la croissance des jeunes plants et arbrisseaux. Les loups et les grands félins jouaient aussi un rôle important en dévorant les cerfs, en surnombre, qui auraient causé trop de dégâts parmi les plantes pour assouvir leur faim. Les plus faibles étant en général les victimes, les hardes gardaient leurs membres les plus vigoureux, les plus sains.

Lorsqu'un vieil arbre commençait à dépérir, les pics et les insectes le perforaient de mille trous, aidant l'œuvre de décomposition de l'eau et de l'air. Mille jolis champignons

multicolores envahissaient le bois et le gardaient humide, ce qui en hâtait la décomposition. Les bactéries les aidaient. En finissant de pourrir, les arbres tombés rendaient au sol et à l'air les éléments chimiques qu'ils en avaient tirés. Ainsi enrichie, la terre nourrissait les jeunes plantes qu'elle portait.

Ce mode de vie, d'échanges perpétuels, se poursuivit pendant des millénaires. La végétation mourait et se renouvelait, offrant asile et nourriture à toutes sortes d'êtres vivants.

Limitant ces forêts, qui couvraient près des 50% de la surface du globe, des prairies, véritables mers de verdure, s'étendaient à perte de vue. Là, l'aspect était différent. Les arbres étaient rares, mais la prairie était couverte d'herbe drue. Comme dans la forêt, les plantes et les animaux se nourrissaient les uns des autres. Les herbivores: cerfs, antilopes, bisons, lièvres et petits rongeurs, mangeaient l'herbe, tandis que les loups, les renards et autres carnassiers se repaissaient de leur chair. Dans la forêt et la prairie, l'eau coulait limpide et pure. La population était si peu dense et si éparse que ce qu'elle prenait à la terre, en plantes et en animaux, pour subsister, se renouvelait naturellement d'une année à l'autre. Les épidémies et la sécheresse pouvaient causer des dégâts par endroits et être sans effets sur le reste du territoire.

CE QUI EST ARRIVÉ

Dans ces belles forêts et ces vastes plaines, des hommes s'établirent. Ils y apportèrent plus de changements en quelques siècles qu'elles n'en avaient connu pendant des millénaires auparavant. Ces colons étaient, avant tout, des cultivateurs qui apportaient avec eux des haches et divers outils. Ils abattirent des milliers d'hectares de forêt et labourèrent la prairie pour y semer du blé et d'autres céréales. Entre les récoltes, le sol demeurait dénudé. Pour défricher le terrain

avec moins de peine, ces premiers colons brûlaient souvent les arbres. Ils trouvaient qu'il y en avait beaucoup trop et pratiquaient ce qu'on appelle la culture sur brûlis.

En remplaçant la prairie et la forêt par des cultures destinées à nourrir une population dont le nombre allait en augmentant, ces hommes opérèrent une transformation nécessaire, mais procédèrent sans prévoyance aucune.

Les forêts situées sur les collines et les pentes furent rasées. D'immenses étendues d'herbages furent labourées et, sur ce qui restait de prés et de bois, des moutons et des

bœufs en trop grand nombre furent laissés paître à leur gré. Pour apaiser leur faim, ils broutèrent l'herbe et le feuillage des buissons de trop près, détruisant ce qu'on appelle la couverture végétale du sol, qui lui est une protection naturelle.

Lorsque leurs terres étaient épuisées ou dégradées par l'érosion due au vent et au ruissellement de l'eau, les hommes n'entreprirent rien pour réparer les dommages; ils se contentèrent d'aller s'établir plus loin, sur des terres vierges, jusqu'au jour où il n'en resta plus.

La fondation et le développement des villes créa une demande de bois telle que l'exploitation des forêts se fit d'une manière impitoyable, sans y laisser de réserves pour la multiplication des arbres. Et la négligence de l'homme causa des incendies de forêts, qui détruisaient en quelques jours ce qui avait mis des dizaines sinon des centaines d'années à croître.

Par des coupes excessives et par des labours imprudents, l'homme a dénudé les pentes le long desquelles les eaux de pluie et de fonte des neiges s'écoulent vers les vallées. Les lignes de partage des eaux, peuvent être le sommet d'un simple coteau ou ceux d'une chaîne montagneuse, comme celles qui traversent le continent américain du nord au sud, l'Europe, d'ouest en est, ou qui séparent l'Inde de l'Asie centrale. Ces lignes de partage des eaux et les vallées délimitent des régions plus réduites, les bassins hydrographiques, où les cours d'eau se dirigent tous vers un même point—mer, lac, fleuve.

Pour se rendre compte du rôle de la ligne de partage des

eaux, on peut construire un monticule en terre bien tassée, sillonné d'une vallée en miniature. On arrosera copieusement et on verra que, avant que l'eau n'y soit absorbée, il s'en écoulera beaucoup au bas de la pente, entraînant une bonne quantité de terre. Mais si le monticule a été tapissé d'herbes et de feuilles, celles-ci s'imbiberont d'eau: il s'en écoulera moins vers le bas en entraînant bien moins de terre.

Les feuilles et l'herbe du monticule décrit ci-dessus jouent le rôle protecteur de la couverture végétale, indispensable à tout bassin hydrographique. Tout comme la nappe absorbe le liquide d'un verre renversé par mégarde sur la table, la couverture végétale retient l'humidité; les racines des arbres et des plantes la font pénétrer dans les couches profondes du sol, qui s'en imbibent, l'empêchent de dévaler à toute allure au bas des pentes et de les dépouiller de leur couverture de terre.

Vous aurez sans doute vu des orages si violents qu'ils lavaient la terre des plates-bandes du jardin, sans toutefois entamer celle qui se trouvait abritée sous un gazon épais. Dans un bois, après la pluie, vous verrez que chaque feuille morte sur le sol retient quelques gouttes d'eau. Ce sont là des exemples illustrant le rôle de la couverture végétale.

Sur les pentes où la végétation est réduite et dévastée graduellement, l'eau dévale de plus en plus vite. Dans la plaine, les cultures de céréales ou de plantes fourragères, qui ne recouvrent le terrain qu'une partie de l'année, ne le protègent pas avec la même efficacité que la couverture végétale naturelle. Les racines des plantes qui la constituent fixent le sol et l'empêchent d'être emporté par le vent ou par les eaux de ruissellement.

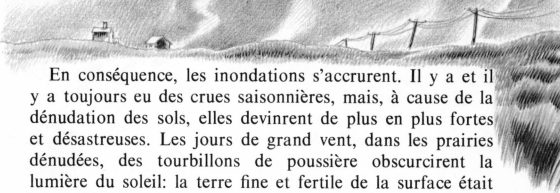

En conséquence, les inondations s'accrurent. Il y a et il y a toujours eu des crues saisonnières, mais, à cause de la dénudation des sols, elles devinrent de plus en plus fortes et désastreuses. Les jours de grand vent, dans les prairies dénudées, des tourbillons de poussière obscurcirent la lumière du soleil: la terre fine et fertile de la surface était balayée par les rafales et emportée au loin.

Les ordures ménagères et les eaux d'égout des villes ainsi que les déchets des industries et des mines, déversés dans les lacs et les rivières, en polluent les eaux. Elles deviennent imbuvables et impropres à la vie des poissons.

Le gaspillage de ces richesses naturelles, que représentaient les forêts et les prairies, le sol et l'eau, a ruiné la végétation et la vie animale; l'homme en a durement pâti. Inondations et érosion du sol s'accompagnent de disette d'eau et de blé. Dans un sol appauvri, les cultures poussent mal. Selon les experts, des nations modernes sont menacées de famine, comme en connurent autrefois les peuples qui ont négligé ou gaspillé les ressources naturelles de leur territoire.

Les hommes ont compromis les
rapports naturellement harmonieux
entre êtres vivants. La vie de chacun d'eux dépend de celle des
autres, et tous subissent l'influence
du milieu où ils se trouvent, de ce
qu'on appelle l'habitat. Cela repré-
sente un territoire où les conditions
de vie sont favorables à une ou à

plusieurs espèces animales ou végétales. La présence de l'homme a
changé ces conditions trop brus-
quement.

Bois, plaine couverte d'herbes,
marécages, flancs escarpés et
rocheux, petite crique au bord de
la mer, constituent autant d'habitats
pour des espèces différentes qui y
vivent en communauté.

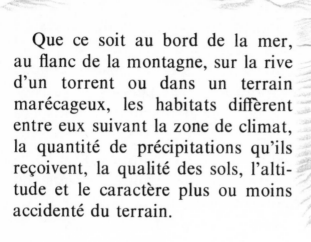

Que ce soit au bord de la mer, au flanc de la montagne, sur la rive d'un torrent ou dans un terrain marécageux, les habitats diffèrent entre eux suivant la zone de climat, la quantité de précipitations qu'ils reçoivent, la qualité des sols, l'altitude et le caractère plus ou moins accidenté du terrain.

Chaque sorte d'habitat abrite uniquement certaines espèces animales ou végétales, adaptées aux conditions qui y règnent. Bien qu'il y ait des espèces qui puissent s'accommoder d'une variété d'habitats, d'autres ne peuvent survivre que dans des conditions précises. On ne saurait s'attendre à rencontrer un ours polaire dans la jungle,

non plus qu'un crocodile sur une banquise. Les écureuils, friands de glands et de noix, ne vivent que sur des arbres qui en portent, alors qu'on ne trouve des marmottes que dans les pâturages de montagne. Il n'y a pas de cactus au bord des lacs ni de joncs dans le désert. Les cactus et autres plantes grasses sont recouverts d'une épaisse couche de cire, qui empêche l'évaporation, leur permet de résister à la sécheresse; les joncs, eux, ne poussent que dans des terrains imbibés d'eau.

Tout changement survenu dans les conditions d'un habitat influe sur la vie des êtres qui s'y trouvent. Dans un marécage asséché, les plantes aquatiques ne peuvent survivre, pas plus que les animaux, canards, rats musqués et autres, qu'elles abritent et nourrissent. Si l'on coupe des arbres et des fourrés où les oiseaux font leur nid, ces derniers, privés de leur abri, iront vivre ailleurs et les insectes dont ils se nourrissaient se multiplieront, au point de devenir un fléau pour la région déboisée.

L'intervention de l'homme a rompu l'équilibre, troublé l'harmonie au sein de la nature, ce qui a eu des conséquences malheureuses non seulement sur les ressources qu'il y trouve mais aussi sur sa propre vie.

L'ŒUVRE DE PROTECTION DE LA NATURE

Quand les naturalistes eurent compris que les mauvaises méthodes appliquées en agriculture et en industrie épuisaient le patrimoine naturel de l'homme, ils se mirent en devoir de le protéger. Ils mirent au point des projets de conservation des sols, des eaux et forêts, de protection de la vie sauvage. Ce travail de sage administration des ressources que la nature offre à l'homme constitue la protection de la nature. Ceux qui y collaborent, et tous doivent

le faire, font œuvre de protection de la nature. En plantant un arbre, en construisant un abri pour les oiseaux, en sauvant la vie d'un animal ou d'une plante, on fait œuvre de protection de la nature.

Il y a des spécialistes dans ce domaine qui étudient la meilleure destination à donner à un terrain, les méthodes les plus rationnelles de l'exploiter. Ils ont établi que dans les régions insuffisamment arrosées, lorsque la couche de terre arable est mince, il vaut mieux enherber le sol et y laisser paître le bétail, en nombre rigoureusement calculé, plutôt que de le labourer et de l'ensemencer. Ils savent aussi qu'un marécage n'est pas nécessairement inutile, parce qu'impropre à la culture, mais qu'il sert de réservoir d'humidité à la région et que, à la longue, il se transformera en une étendue de terre fertile. Ces spécialistes indiquent aux agriculteurs les cultures qui donneront le meilleur rendement dans tel ou tel milieu naturel. Des expériences dans ce sens se poursuivent sans relâche par des organismes dépendant des ministères ou des écoles d'agronomie. On sait aujourd'hui qu'à des cultures qui rapportent bien quelques années de suite, mais appauvrissent à jamais la terre, il faut préférer celles qui l'enrichissent.

Voici un exemple de secours apporté à l'agriculture: il y a quelques années, un fermier s'inquiétait de ce que ses

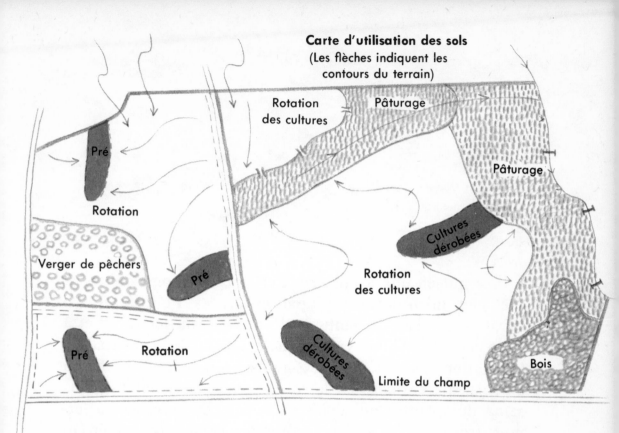

Carte d'utilisation des sols
(Les flèches indiquent les
contours du terrain)

Pré

Rotation

Verger de pêchers

Pré

Pré

Rotation

Rotation
des cultures

Pâturage

Pâturage

Cultures
dérobées

Rotation
des cultures

Cultures
dérobées

Limite du champ

Bois

récoltes n'étaient pas ce qu'elles auraient dû être et de ce que ses terres fertiles, ravagées par l'érosion, diminuaient à vue d'œil. Il s'adressa au Service de la conservation des sols qui envoya un spécialiste. Celui-ci commença par prélever en divers points des échantillons de sol, dont un laboratoire détermina le contenu en éléments chimiques. Puis il leva le plan de la ferme, y portant l'indication des différents genres de sol et les accidents de terrain—monticules, dépressions etc. D'accord avec le spécialiste, le fermier dressa ensuite une "carte d'utilisation des sols".

Il se mit ensuite à l'œuvre. Certaines portions, qui ne se prêtaient qu'au pâturage, furent enherbées. Pour le reste, il suivit un système de cultures destiné à protéger le sol et à lui rendre les éléments chimiques nécessaires. Il procéda à la rotation des cultures, c'est-à-dire qu'il sema du trèfle ou du soja, qui enrichissent le sol en azote, les y enfouit, puis sema des plantes qui épuisent l'azote du terrain. Le fermier traça ses sillons en travers des pentes, ce qui faisait de chacun d'eux un petit barrage retenant l'eau pour l'empêcher de dévaler le terrain et d'emporter la couche arable. En travers de certaines pentes, il établit de petites terrasses, pour y retenir l'eau; en travers de certaines autres, il laissa des bandes de gazon entre les sillons. La terre ravinée par l'érosion fut enherbée ou protégée par de petites digues en terre; les bords d'un marécage furent plantés d'arbustes et les champs entourés de haies abritant des oiseaux et du gibier.

Après quelques années de travail méthodique, et ayant fait œuvrer la nature à son profit, le fermier est arrivé à contrôler les inondations et l'érosion des sols, à obtenir de meilleures récoltes et à faire renaître la vie sauvage sur sa ferme. Si lui et ses voisins continuent à travailler leurs champs aussi sagement, d'abondantes récoltes seront assurées au pays tout entier.

L'homme apprend également de nos jours à aider la nature, à réparer les dommages causés aux forêts. Lors d'une coupe, un nombre suffisant d'arbres doivent être épargnés, afin d'assurer le repeuplement de la forêt et de protéger les arbrisseaux contre le soleil, le vent et les mauvaises herbes. Telle est la pratique courante dans la plupart des cas.

Là où la forêt a été rasée, on transplante de jeunes arbres, élevés en pépinière. Tous les pays en ont, dépendant des services officiels ou appartenant à des entreprises

privées. Les arbres y sont multipliés par semis et soignés jusqu'à ce qu'ils soient assez vigoureux pour être transplantés. Toute personne intéressée peut acheter des arbres de brin (issus de semences) dans une pépinière, pour une somme infime, et les planter là où le besoin s'en fait sentir, autant que possible dans un milieu favorable.

Une autre façon d'aider au reboisement est de veiller à fournir abri et protection aux oiseaux, aux écureuils, tamias et autres petites bêtes qui dispersent les semences des arbres et favorisent le repeuplement des forêts.

Dans la plupart des pays du globe, l'importance de la conservation des ressources et de la protection de la nature est aujourd'hui reconnue. Il y a un peu partout des réserves de chasse et de pêche, où la vie sauvage est protégée, où nul ne peut pêcher ni chasser et où, au contraire, des spécialistes sont chargés de veiller au bien-être des bêtes qui constituent la faune de ce territoire protégé. Lorsqu'une telle réserve couvre de vastes espaces et que la flore aussi bien que la faune y sont protégées, elle porte le nom

46

de parc national. Le premier en date de tous est celui de Yellowstone, aux Etats-Unis, créé en 1872. Là et au Canada, les parcs nationaux sont nombreux et étendus. On peut les visiter sous le contrôle rigoureux de ceux qui sont préposés à leur garde et y admirer les beautés naturelles, toutes les formes de la végétation et de la faune de la région, qui y sont conservées et maintenues intactes. Il est défendu d'y abattre un arbre, d'y planter quelque semence que ce soit, d'y tuer la moindre bête. Suivant ce modèle, d'autres pays ont aujourd'hui des parcs nationaux, intéressants à plus d'un point de vue. En France, celui du massif de la Vanoise, créé en 1963, couvre 70 000 ha (près de 173,000 acres); la chasse y est interdite et la protection de la vie animale et végétale y est assurée par des lois spéciales. En Suisse, une importante partie de la vallée de la basse Engadine a été affectée à la création d'un parc national que le touriste ne peut visiter que suivant des itinéraires déterminés. En Australie, le parc national de Nouvelle-Galles du Sud offre un intérêt particulier, tant pour l'économie du pays que pour la science en général.

Presque tous les pays, que ce soit en Europe, en Amérique ou en Afrique, ont constitué ce qu'on appelle des réserves, ou territoires de protection, où la vie animale et végétale est protégée par des lois spéciales.

Des services forestiers assurent la protection et régissent l'exploitation des forêts dans tous les pays: celles-ci fournissent le bois nécessaire au bâtiment et à l'industrie et, surtout, fixent les terrains et les protègent contre l'érosion tant redoutée. Tout bon citoyen, jeune ou âgé, doit veiller à leur protection, d'une manière ou d'une autre. La plus simple et la plus efficace est de prévenir les incendies de forêts qui, une fois déclarés, sont difficiles à combattre et peuvent ravager des régions entières.

Voici quelques conseils précieux et faciles à suivre:

Ne jetez jamais une allumette avant de l'avoir bien éteinte et même brisée en deux, pour plus de précaution.

Veillez à ce que les cendres de cigarettes, cigares ou autres, soient complètement froides, avant de vous en débarrasser, où que ce soit.

N'allumez jamais un feu de camp près d'un tronc d'arbre ou d'un taillis. Avant d'en faire un, nettoyez une aire d'environ 2 m (5 pieds) de large de toutes aiguilles de pin, feuilles et herbes sèches. Ne faites jamais de trop haute flambée et ne laissez pas le feu sans surveillance.

Veillez à l'éteindre complètement avant de partir: ramenez les brindilles vers le centre, noyez le tout avec de l'eau et mouillez bien la terre autour du foyer; ne quittez les lieux que lorsque toute braise est éteinte.

Renseignez-vous sur le règlement qui régit les feux de camp dans une région et demandez un permis, là où cela est nécessaire.

Ne brûlez ni feuilles mortes ni brindilles sèches quand il fait du vent ou lorsque le feu pourrait se propager, échapper à votre contrôle.

Avertissez sans délai le garde-forestier d'un feu que vous auriez aperçu.

Les ressources d'eau d'un territoire font, elles aussi, l'objet de mesures de protection. Les immenses réservoirs créés par des barrages géants, comme le Hoover Dam sur le Colorado, aux Etats-Unis, ceux de Manicouagan, au Canada, et d'Assouan sur le Nil, en Egypte (où les travaux sont en cours) permettent l'approvisionnement d'eau à l'endroit et au moment voulus. Les barrages servent à diverses fins utiles: ils fournissent l'énergie nécessaire à la production d'électricité dans les centrales hydro-électriques et leurs retenues d'eau alimentent les grandes agglomérations citadines ou les installations d'irrigation des cultures. On espère que, avec ceux qui existent et ceux qui seront construits à l'avenir, on arrivera à mettre fin aux inonda-

tions, causes de tant de catastrophes. A ce sujet, les avis sont partagés. Certains spécialistes estiment que les inondations doivent être arrêtées là où elles prennent naissance, à la ligne de partage des eaux de tous les bassins hydrographiques. Les grands barrages sont trop coûteux, disent-ils, et, surtout en terrain plat, les lacs d'accumulation, formés derrière eux, seront en une cinquantaine d'années comblés de limon, parce que la couverture végétale est encore insuffisante à protéger les versants. La méthode idéale reste encore à trouver.

Ce qui est certain, c'est que la solution du problème de l'eau n'est pas encore trouvée et que, par ailleurs, l'homme doit chercher à travailler en harmonie avec la nature et non contre elle. La conservation des sols et celle des forêts sont donc fort importantes.

La nature possède ses propres réservoirs d'eau: les nappes souterraines et le sol même. Une source est un ruisseau souterrain qui débouche à la surface; un puits est creusé dans la terre jusqu'à la nappe d'eau qui s'y trouve cachée. Ces réservoirs naturels renferment une quantité d'eau supérieure à celle de la surface du globe dans sa totalité. Quand il pleut, l'eau s'écoule le long des pentes ou s'infiltre dans le sol, où elle s'accumule. Puis, le soleil et le vent font évaporer l'humidité. Elle retourne à l'air y former des nuages et la terre s'assèche en surface et même jusqu'à une certaine profondeur, mais l'eau qui a pénétré plus loin ne s'évapore pas avant qu'une nouvelle pluie ne vienne en augmenter la quantité. En profondeur, cette eau rejoint la nappe souterraine et l'enrichit. Le niveau de cette nappe, que les spécialistes appellent niveau hydrostatique ou nappe phréatique, se trouve plus ou moins loin sous terre, suivant le genre du terrain, la densité de la couverture végétale, l'inclinaison des pentes et l'abondance des précipitations — pluie et neige.

La distance entre la surface du sol et le niveau hydrostatique renseigne sur la quantité d'eau de ce réservoir souterrain. Si ce niveau est profond, c'est qu'il y a moins d'eau, et il faudra creuser davantage pour l'atteindre. Cela peut être dû à des précipitations moins abondantes, à ce que l'eau s'est écoulée en surface plutôt que de pénétrer dans le sol, ou à une consommation excessive.

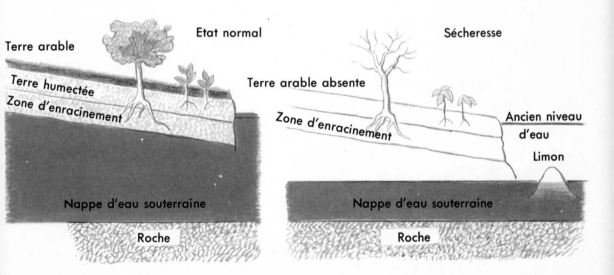

Etat normal

Terre arable

Terre humectée

Zone d'enracinement

Nappe d'eau souterraine

Roche

Sécheresse

Terre arable absente

Zone d'enracinement

Ancien niveau d'eau

Limon

Nappe d'eau souterraine

Roche

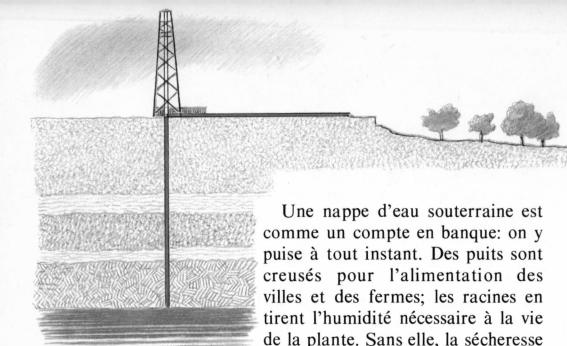

Une nappe d'eau souterraine est comme un compte en banque: on y puise à tout instant. Des puits sont creusés pour l'alimentation des villes et des fermes; les racines en tirent l'humidité nécessaire à la vie de la plante. Sans elle, la sécheresse ruinerait les récoltes. Mais, comme pour l'argent, si on retire plus qu'on n'en dépose, les réserves seront vite épuisées.

La population du globe augmente sans cesse et les usages de l'eau sont de plus en plus nombreux, la climatisation dans les immeubles modernes étant l'un des plus récents. L'industrie en fait une consommation croissante. Il importe donc d'aider la nature à maintenir ses réservoirs souterrains à leur niveau hydrostatique normal.

L'homme doit entretenir la couverture végétale, arbres et herbes, qui retient l'eau de pluie, lui facilite l'infiltration dans le sol, l'empêche de dévaler les pentes en emportant la couche de terre arable jusqu'à la mer.

La protection de la nature implique, entre autres, des

moyens plus efficaces de lutte contre les insectes, dont le nombre a augmenté en proportion
de la quantité de nourriture. Un terrain cultivé
assurera la subsistance d'un plus grand nombre
d'individus d'une certaine espèce qu'un pré ou
un bois de même étendue. Les cultures s'éten-
dant, le nombre des insectes s'est accru au
point d'en faire un fléau de l'humanité. Les sauterelles ont
souvent dépouillé des champs entiers. Une certaine espèce
de punaise ravage les cultures de blé et le doryphore, celles
des pommes de terre. Une espèce de charançon s'attaque
aux plants de cotonnier, de blé et aux pins; les perce-bois
font des ravages dans les vergers. Il faut donc lutter contre
les espèces nuisibles et protéger celles qui sont utiles à
l'homme.

L'hélicoptère que l'on voit parfois, volant très bas, au-
dessus d'un champ ou d'un verger, a pour mission de disséminer des insecticides sur de vastes superficies. Le nuage
qui s'en échappe est un produit chimique destiné à tuer les
insectes nuisibles. D'autres moyens de lutte consistent à les
empêcher de se reproduire ou à se faire aider par leurs

ennemis naturels. La pulvérisation d'insecticides demeure la méthode la plus usuelle, mais elle doit être appliquée avec prudence, car le poison tue les espèces utiles aussi bien que les nuisibles et même certains de leurs ennemis naturels — oiseaux insectivores, batraciens ou poissons.

Les moustiques n'ont guère bonne renommée: ils constituent un véritable fléau des régions tempérées en été et, sous les tropiques, certaines espèces transmettent le microbe de la malaria. A l'état de larves ou d'adultes, ils servent de nourriture à certaines espèces d'oiseaux ou de poissons, dont quelques-unes sont rares et précieuses pour l'homme. La lutte contre les moustiques doit tenir compte du rôle qu'ils jouent dans la nature.

Pour les détruire, les eaux d'un marécage de Floride, aux Etats-Unis, furent traitées trois années durant aux insecticides, ce qui entraîna la disparition des libellules, poissons, serpents et oiseaux insectivores, qui s'en nourrissent. Résultat: au bout de ces trois ans, il y avait là plus de moustiques que jamais. Peut-être certains s'étaient-ils accoutumés au poison, qui restait ainsi sans effet. Aux

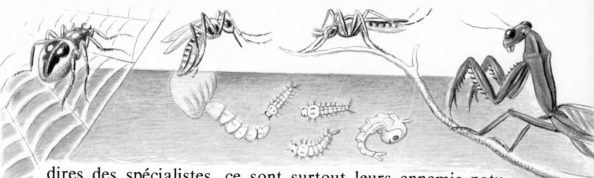

dires des spécialistes, ce sont surtout leurs ennemis naturels qui, par la consommation qu'ils en font, en maintiennent le nombre à une certaine limite, bien mieux que les insecticides ne peuvent le faire. La disparition des premiers a permis aux moustiques que le poison avait épargnés, de se multiplier dangereusement.

En certains endroits, on a procédé à l'assèchement des terrains marécageux favorables à leur prolifération, mais cette méthode a le désavantage de faire baisser le niveau hydrostatique des nappes d'eau souterraines.

Les oiseaux, chauves-souris, serpents, araignées, libellules, qui se nourrissent de moustiques, rendent service à l'homme et par conséquent doivent être épargnés.

Il existe des poissons insectivores, mais, dans leur monde également, l'ordre qui régnait naturellement a été dérangé par les entreprises de l'homme.

Pour vivre, les poissons ont besoin d'oxygène, qu'ils ne peuvent trouver dans les eaux limoneuses ou polluées. Les déchets de toute sorte qu'on jette à la rivière, la terre que les pluies torrentielles y apportent, en rendent l'eau impropre à la vie des poissons ou à celle des plantes et des petites bêtes aquatiques dont ils se nourrissent. Quand, il y a une cinquantaine d'années, on constata une pénurie de poisson, on entreprit d'en faire l'élevage. Des millions d'alevins—jeunes poissons—éclos dans des bassins ou étangs protégés, furent mis en liberté dans les lacs et les rivières. Les résultats furent décevants. Les alevins se défendent mal contre les rigueurs du milieu naturel, du climat, ou contre leurs ennemis, n'ayant pas eu à le faire dès les premières heures de leur vie. On continue aujourd'hui à empoissonner là où la pêche est active et où elle aurait vite fait de dépeupler la rivière ou le lac.

Les naturalistes étudient les

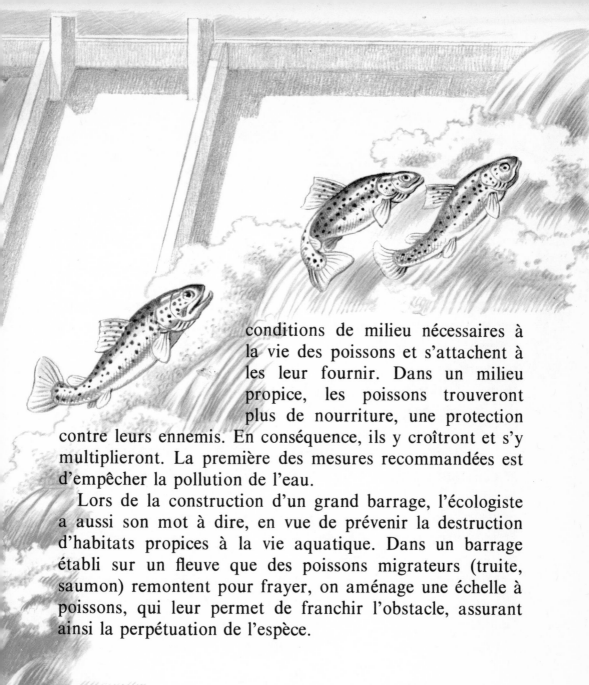

conditions de milieu nécessaires à la vie des poissons et s'attachent à les leur fournir. Dans un milieu propice, les poissons trouveront plus de nourriture, une protection contre leurs ennemis. En conséquence, ils y croîtront et s'y multiplieront. La première des mesures recommandées est d'empêcher la pollution de l'eau.

Lors de la construction d'un grand barrage, l'écologiste a aussi son mot à dire, en vue de prévenir la destruction d'habitats propices à la vie aquatique. Dans un barrage établi sur un fleuve que des poissons migrateurs (truite, saumon) remontent pour frayer, on aménage une échelle à poissons, qui leur permet de franchir l'obstacle, assurant ainsi la perpétuation de l'espèce.

Des spécialistes s'occupent tout particulièrement de la protection des oiseaux. Il y a longtemps déjà qu'il est interdit de leur faire la chasse en vue de les vendre au marché, et cela, dans bien des pays. Certains oiseaux chanteurs surtout sont protégés par ces lois, car ce sont aussi des insectivores voraces.

Les mesures de protection n'ont pas toujours été efficaces, ce qui a causé l'extinction de certaines espèces. Ainsi, le charmant pigeon migrateur, au plumage joliment coloré, n'existe plus. Il y a à peine un siècle, on en comptait des millions dans les régions tempérées. La chasse sans merci et la destruction des forêts, où ils trouvaient abri et nourriture, les ont exterminés.

La grue américaine, était en voie de disparition, mais des refuges lui ont été aménagés et l'on espère en sauver l'espèce.

Les rapaces diurnes et nocturnes font aussi depuis quelque temps l'objet de mesures de protection. S'il est aujourd'hui défendu de tirer un aigle ou un épervier, on ne continue pas moins, un peu partout, à tuer trop de ces oiseaux dits de proie, qui rendent bien des services. Car, s'ils s'attaquent parfois au gibier et aux poulets des fermiers, ils se nourrissent principalement de rongeurs. C'est dire qu'ils sont plus utiles que nuisibles. En effet, un couple de campagnols peut en un an donner naissance à près d'un million de petits et, à raison d'une vingtaine à l'hectare (ou d'une dizaine par acre), ils dévorent une dizaine de tonnes de foin par an! Les rapaces diurnes et nocturnes, qui en font une grande consommation, doivent donc être protégés, car ils le méritent bien.

Les amis des oiseaux sont nombreux et nombreux sont les clubs formés pour la protection de la gent ailée. Des associations de naturalistes encouragent le public à observer les oiseaux et à étudier leurs mœurs. Ces personnes peuvent fournir des renseignements sur les oiseaux.

Ces associations, certains gouvernements et parfois des particuliers, ont créé des réserves ornithologiques dans différentes régions. Ce sont des endroits où les oiseaux

peuvent trouver leur nourriture et un refuge contre leurs ennemis, nidifier et se multiplier. La chasse ou toute autre activité qui troublerait leur quiétude y sont interdites.

Les associations d'ornithologistes, les agents des services officiels, de simples particuliers pratiquent le baguage. Les services de protection de la vie sauvage leur délivrent des bagues, petites bandes métalliques, portant un numéro et une adresse postale, et un permis d'utilisation. Les jeunes oiseaux sont bagués au nid; les adultes, capturés sans leur faire de mal, sont relâchés une fois la bague passée à la patte. Celles qu'on prélève sur des sujets repris vivants ou trouvés morts, souvent très loin du point initial, sont envoyées aux services de protection de la vie à l'état sauvage, avec mention de l'endroit d'où elles viennent. Cela renseigne sur les migrations des oiseaux, sur leurs itinéraires, sur leur longévité et leurs mœurs en général.

L'examen du contenu de l'estomac, chez de nombreux oiseaux, fournit des indications sur leur régime alimentaire. C'est ainsi qu'il a été prouvé que les rapaces, diurnes et nocturnes, se nourrissent bien moins de poulets de ferme que de rats, de souris ou d'autres rongeurs nuisibles.

Les cultivateurs et propriétaires campagnards sont invités à aménager des refuges pour les oiseaux dans les arbres, les taillis, sur un lopin couvert de hautes herbes, dans quelque coin tranquille de leur propriété.

Dans bien des pays, des organismes officiels ou privés ont créé ou assuré l'entretien des lacs et étangs, où les oiseaux aquatiques trouvent abri et protection pour eux et leurs nichées. Pour les attirer, les enfants construisent des maisonnettes, des mangeoires, etc.

La chasse du gibier à plumes et à poil, la pêche sportive sont aujourd'hui réglementées par un code spécial, que les sportifs eux-mêmes ont réclamé. Il limite le nombre des bêtes qu'on peut abattre, le territoire et la durée de la saison de chasse ou de pêche. Les sommes perçues pour l'émission des permis de chasse et de pêche servent à couvrir une partie des dépenses des services de protection de la vie à l'état sauvage, à entretenir un corps de gardes-chasses qui font respecter les lois, à entretenir les refuges et réserves de gibier. Grâce à ces mesures, la quantité de poissons et de gibier à plumes et à poil a sensiblement augmenté dans bien des régions, résultat fort apprécié des sportifs et de tous ceux qui considèrent le produit de la chasse et de la pêche comme la "récolte" des biens que la nature met à la disposition de l'homme et dont il doit faire un usage judicieux.

Grâce aux méthodes modernes de protection de la nature, certains animaux en voie de disparition se sont multipliés dans certaines régions. Décimé par la chasse intensive qu'on lui faisait pour sa fourrure précieuse et du fait que les services réels qu'il rendait étaient ignorés, le castor nord-américain était devenu rare vers 1800. La protection de son habitat et la limite imposée aux prises des trappeurs ont eu pour résultat une augmentation notoire de la population des castors de cette région du globe. On doit aujourd'hui surveiller l'activité de ces travailleurs acharnés, qui endiguent souvent des canaux d'irrigation ou abattent des arbres là où ils sont nécessaires. Pour tirer profit de leur activité, on les capture vivants et on les transporte, souvent en avion, en des endroits où les digues qu'ils construisent peuvent être utiles. Ils sont parachutés et enfermés dans des cages spéciales qui s'ouvrent automatiquement en arrivant au sol. Aussitôt délivré, le castor se met à l'ouvrage: il construit un barrage, endiguant un ruisseau cause d'inondations.

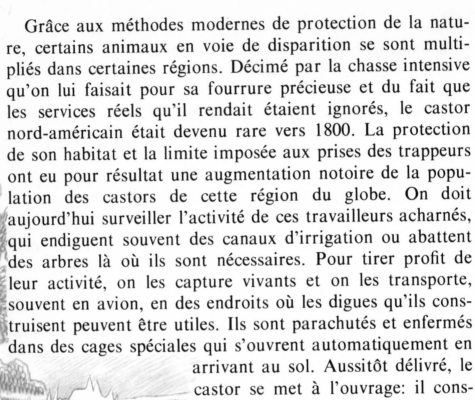

Le gros gibier—ours, chevreuils, élans, cerfs, antilocapres, bisons—

abondait autrefois. La chasse que les hommes leur firent, pour leur chair savoureuse et abondante, en réduisit le nombre. Ces espèces, près de s'éteindre, furent mises sous la protection de la loi et leur nombre va aujourd'hui en augmentant.

Certains de ces animaux, en particulier le chevreuil, subsistent même à proximité des villes, s'ils y trouvent nourriture et abri dans les taillis. Par endroits, leur nombre a augmenté au point qu'ils en meurent de faim, pour peu que l'hiver soit rigoureux.

Le nombre des antilocapres s'est accru, de sorte que, pour maintenir un certain équilibre, il est permis de les chasser, à certaines époques et avec mesure.

Les cerfs aussi se sont multipliés, mais non pas les bisons, ours gris ni les loups, dont le nombre n'augmentera probablement plus guère, car à notre époque les grands espaces leur font défaut et ils ne causent que des dégâts. La persistance des espèces est toutefois assurée dans les parcs nationaux et les réserves naturelles. Ces sanctuaires de la vie sauvage, établis sous un contrôle strict, offrent un lieu de délassement au grand public et un intérêt scientifique aux naturalistes qui peuvent y étudier les relations entre les êtres vivants et leur habitat.

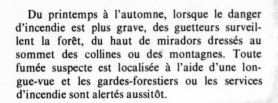

Du printemps à l'automne, lorsque le danger d'incendie est plus grave, des guetteurs surveillent la forêt, du haut de miradors dressés au sommet des collines ou des montagnes. Toute fumée suspecte est localisée à l'aide d'une longue-vue et les gardes-forestiers ou les services d'incendie sont alertés aussitôt.

QUELQUES SPÉCIALISTES AU TRAVAIL

Le garde-forestier a la charge de tout ou partie d'une forêt. Il assure la protection de la vie sauvage qu'elle abrite, celle des bassins hydrographiques; il surveille les coupes qui s'y font; il garde le contact avec les éleveurs dont le bétail est admis à paître dans le sous-bois; il surveille l'entretien des routes et sentiers, fait planter des arbres et respecter les règlements de la chasse.

La plupart des administrations locales ou nationales ont des services chargés de prévenir ou de combattre les incendies de forêts. Dès que l'on découvre un foyer, même s'il paraît sans importance, on doit sur-le-champ en avertir les services de la région.

64

Le biologiste travaille pour les services d'administration de la chasse et de la pêche, ou pour un organisme, officiel ou privé, de protection de la nature. Il étudie les mœurs des bêtes et des poissons, évalue la quantité de poisson d'un cours d'eau, examine le contenu de l'estomac d'un animal abattu, pour établir ce dont l'espèce se nourrit; de l'observation d'un castor, par exemple, il tire des conclusions permettant d'améliorer ses conditions de vie.

Un garde-pêche ou garde-chasse doit arrêter celui qui violerait les lois réglementant ces sports et limitant le nombre de prises. Il doit aussi connaître les mœurs des animaux de la région, chercher à améliorer leur habitat et à favoriser leur multiplication.

Un ingénieur étudie la topographie d'une vallée, site futur d'un barrage et d'un lac qui assureront l'énergie électrique et l'eau nécessaire à l'irrigation de la région.

CE QUE VOUS POUVEZ FAIRE

Point n'est besoin d'aller dans un parc public ou dans une forêt, pour voir la nature à l'œuvre. Elle est là, dans votre jardin ou dans celui de votre voisin, et vous pouvez admirer l'harmonie qui y règne. Ce pic creusant un tronc d'arbre ne le fait pas pour le plaisir, mais pour y chercher des insectes dont il est friand. Cet oiseau, qui fait de l'acrobatie aérienne, est à la poursuite d'un moucheron ou d'un papillon, qu'il attrapera en plein vol.

Vous pourrez observer là les insectes, les oiseaux, les animaux et les plantes, tous ensemble. Lorsque vous voyez un oiseau, une bête ou une fleur, l'un près de l'autre, pensez aux rapports qui les unissent, aux services qu'ils se rendent mutuellement.

Réfléchissez aussi à votre rôle dans la nature, à vos rapports avec les autres êtres vivants, aux influences réciproques qu'il y a entre vous et eux.

Vous pouvez faire œuvre de conservation, de protection de la nature, en vous inspirant des pages ci-après ou en suivant votre imagination créatrice.

Il y a bien des choses que les hommes de science n'ont pas encore élucidées au sujet des relations étroites et compliquées qui existent entre les bêtes, les plantes et nous-mêmes.

Si vous aimez observer la nature, étudier les lois immuables et mystérieuses qui la régissent, peut-être trouverez-vous un jour la réponse à bien des questions. Vous ne sauriez, en tout cas, vous empêcher d'admirer combien tout ce qui existe obéit à la loi naturelle de "donnant, donnant".

LA CONSERVATION ET VOUS

Ne touchez pas à un nid d'oiseau avant que les œufs ne soient éclos et que les petits et leurs parents ne l'aient abandonné.

Rejetez vite à l'eau les poissons trop petits pour être mangés, afin de leur donner une chance de grandir. N'en gardez pas plus qu'il ne vous en faut.

Apprenez à connaître les fleurs sauvages rares, de la région où vous vous trouvez. Dans certains lieux, elles sont protégées par la loi: il est défendu d'en cueillir ou de les transplanter.

Apprenez à connaître les insectes utiles, qui ne peuvent manquer autour de vous, et épargnez-les.

Accrochez, à un arbre du jardin, un abri pour les oiseaux.

N'endommagez jamais un arbre. Ne gravez pas d'initiales dans l'écorce.

Plantez de l'herbe ou toute autre couverture végétale, là où le sol risque d'être emporté par les pluies torrentielles.

LES MICROBES

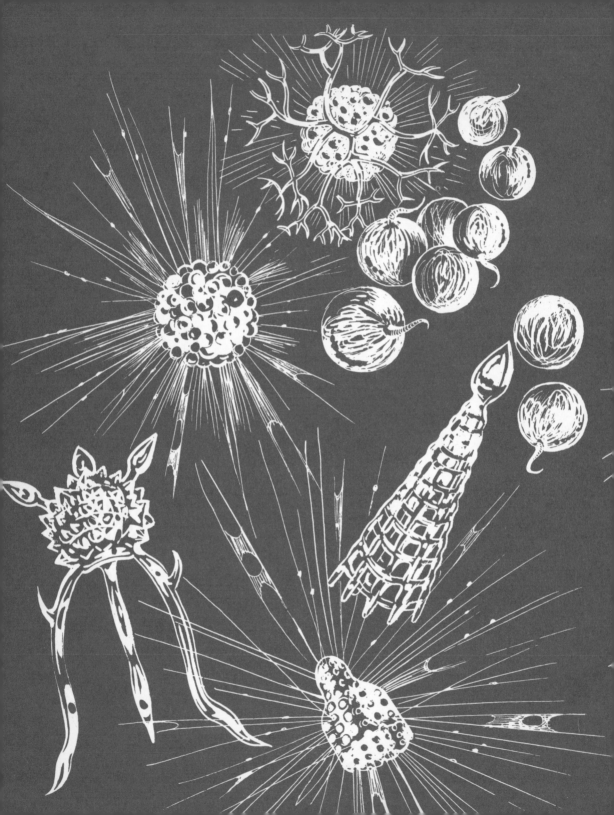

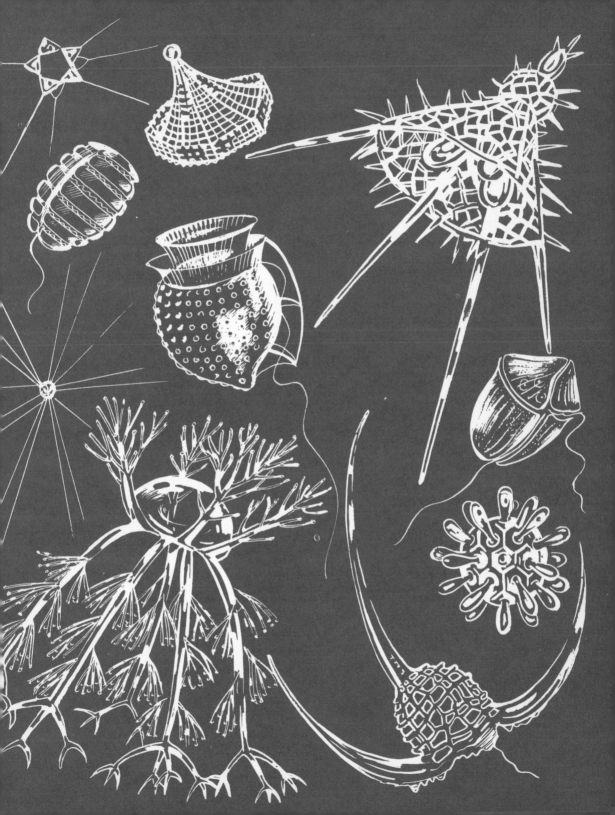

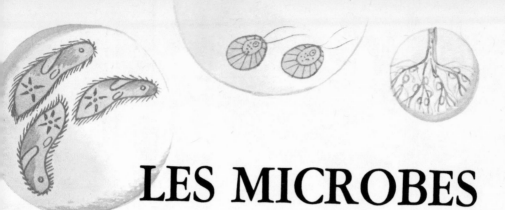

LES MICROBES

par LUCIA Z. LEWIS

Illustrations par MARGUERITE SCOTT

Version française par
MARGUERITE GÉRIN-BÉRUBÉ

QU'EST-CE QUE LES MICROBES?

Ce sont de minuscules êtres vivants—plantes ou animaux—qui pullulent autour de nous. En ce moment même
des milliers d'entre eux flottent au-dessus des pages de ce
livre et il y en a encore davantage sur la couverture, sur
vos mains et vos vêtements. On ne peut les voir, car ils
sont bien trop petits: si bien que 25 000 microbes du

même type, mis bout à bout, ne mesureraient que 2,5 cm (1 pouce). Seul le microscope, qui les fait paraître beaucoup plus gros qu'ils ne le sont, permet de les observer.

Pour la science, ce sont des micro-organismes (micro est dérivé du mot grec *mikros,* signifiant petit; organisme est dérivé du grec *organon,* qui veut dire instrument, organe), mais on les appelle couramment des microbes (nom tiré de deux mots grecs mis ensemble, signifiant vie minuscule).

Certains types de microbes sont utiles, chacun à sa façon. Il en est qui aident à faire le pain ou le fromage que nous mangeons; certains aident à la séparation des fibres du lin ou du chanvre servant à faire de la toile; d'autres sont utilisés pour la préparation des médicaments; d'autres encore rendent le sol plus fertile. Mais il en est parmi eux de fort nuisibles, qui provoquent diverses maladies et qui portent différents noms: bactéries, bacilles, virus.

Ces êtres minuscules n'agissent pas à dessein. Seul le hasard fait que les activités indispensables à leur vie soient utiles ou nuisibles

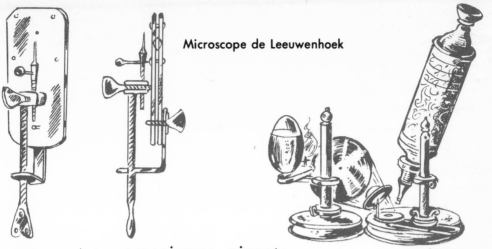

Microscope de Leeuwenhoek

Microscope de Robert Hooke

aux autres organismes vivants. Bien des microbes sont inoffensifs et certains sont même fort utiles. En fait, sans eux, la vie sur terre serait impossible. Aussi incroyable que cela paraisse, l'existence des êtres humains, des plantes et des animaux, petits ou grands, dépend en partie de ces cellules vivantes, invisibles à l'œil nu.

Qu'il est captivant ce monde mystérieux des microbes, peuplé d'animaux et de végétaux bizarres, vivant de curieuse façon et dans des lieux étranges! Grâce au microscope, les hommes de science ont enrichi leurs connaissances sur ces infiniment petits.

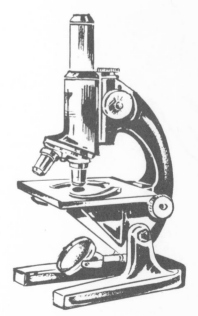

Microscope moderne de recherche

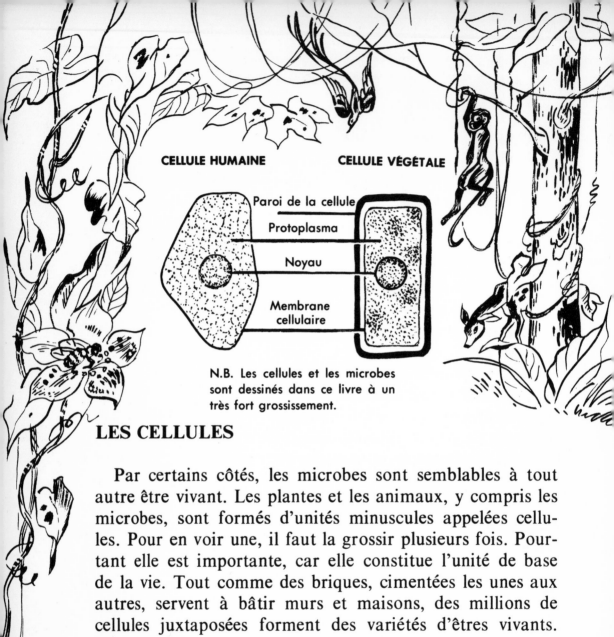

CELLULE HUMAINE　　　　CELLULE VÉGÉTALE

Paroi de la cellule

Protoplasma

Noyau

Membrane
cellulaire

N.B. Les cellules et les microbes
sont dessinés dans ce livre à un
très fort grossissement.

LES CELLULES

Par certains côtés, les microbes sont semblables à tout autre être vivant. Les plantes et les animaux, y compris les microbes, sont formés d'unités minuscules appelées cellules. Pour en voir une, il faut la grossir plusieurs fois. Pourtant elle est importante, car elle constitue l'unité de base de la vie. Tout comme des briques, cimentées les unes aux autres, servent à bâtir murs et maisons, des millions de cellules juxtaposées forment des variétés d'êtres vivants. Les microbes aussi en sont formés; toutefois, la plupart

82

sont unicellulaires, c'est-à-dire ils n'ont qu'une cellule.

Qu'elles forment un éléphant ou un insecte, un arbre ou un brin d'herbe—ou le plus petit microbe existant—les cellules ont toutes certaines caractéristiques communes.

Généralement de forme ovale, elles peuvent toutefois revêtir des formes variées: minces et allongées, cubiques ou polygonales (à plusieurs angles). Une mince pellicule extérieure, la membrane, les recouvre. Dans la plupart des cellules végétales, cette membrane est entourée d'une paroi plus épaisse et plus dure, ce qui rend la plante robuste et assez rigide.

La membrane cellulaire contient une matière gélatineuse: le protoplasma. Cette matière contient de nombreuses substances actives qui font "vivre" la cellule. Les biologistes ne savent pas exactement comment cela se produit; mais ils connaissent la composition chimique du protoplasma—substances chimiques et minérales, eau—qu'ils ont établie en décomposant et en analysant la cellule; ce qu'ils cherchent encore, c'est la manière de reconstituer du protoplasma vivant.

Les éléments chimiques du protoplasma s'y retrouvent en proportions variables, suivant l'espèce à laquelle la cellule appartient. Celui du poisson, par exemple, n'a pas une composition chimique identique à celui de l'oiseau, de la fleur ou de n'importe quel autre être vivant.

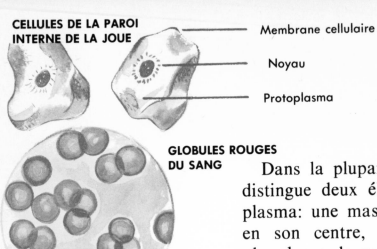

CELLULES DE LA PAROI INTERNE DE LA JOUE

Membrane cellulaire

Noyau

Protoplasma

GLOBULES ROUGES DU SANG

Dans la plupart des cellules, on distingue deux éléments du protoplasma: une masse visqueuse avec, en son centre, une petite masse plus dense: le noyau. C'est le centre de commande de la cellule, dont il règle les activités: Croissance, alimentation et élaboration de diverses substances.

Pour survivre, une cellule doit faire bien des choses: se procurer sa nourriture, absorber certains gaz tel l'oxygène, source d'énergie. Elle doit pouvoir se développer et, finalement, produire d'autres cellules semblables à elle-même. Dans un organisme à cellules multiples, certaines ont des fonctions spéciales à remplir: celles de la peau forment une enveloppe protectrice pour le corps; certaines cellules de la langue permettent de reconnaître si un aliment est sucré, salé, acide ou amer. Dans une plante verte, les cellules des racines doivent absorber l'eau et certains minéraux du sol pour que la plante puisse se nourrir; celles des feuilles doivent absorber l'oxygène et expulser le gaz carbonique.

Tout microbe a ses activités propres. L'unique cellule qui le compose d'ordinaire est une unité complète de vie, capable d'exercer toutes les fonctions indispensables.

84

À LA DÉCOUVERTE DES MICROBES

Les microbes sont peut-être les plus étranges des êtres vivants. D'ordinaire, on n'a aucune peine à distinguer une plante d'un animal. On sait, par exemple, qu'un rosier est une plante et qu'un lapin est un animal. Cela est évident! Mais nombre de microbes sont si petits et si bizarres qu'il est parfois difficile de dire lequel est végétal ou animal. Parmi ces microbes unicellulaires, il y a des végétaux: ils ne sont pas verts, n'ont ni tiges, ni feuilles, ni fleurs, ni racines qui les fixent au sol. Certains peuvent même se déplacer. Les microbes animaux sont tout aussi bizarres. Ils n'ont pas d'estomac et, la plupart, pas de bouche. Ils n'ont ni pieds, ni queue, ni yeux, ni poils, rien de ce qui caractérise un animal. Ce n'est qu'après de longues études que l'on a réussi à classer chaque microbe dans le règne végétal ou animal, d'après son mode de vie.

L'existence des microbes remonte au passé le plus lointain: les roches les plus anciennes portent des traces qui en témoignent. Cependant on n'a commencé à s'y intéresser que pendant les tout derniers siècles. En fait, jusqu'à une certaine époque, on en ignorait l'existence. En 1683, le Hollandais Anton Van Leeuwenhoek vit, probablement pour la première fois, certains microbes que les savants appellent aujourd'hui bactéries. Il fut le premier à les dessiner.

Van Leeuwenhoek était un original. Il travaillait dans la boutique d'un marchand d'Amsterdam, mais passait ses loisirs à polir des lentilles grossissantes, qui lui permettaient de voir des choses incroyablement petites sur des objets d'usage courant. Il se mit ensuite à fabriquer des microscopes rudimentaires. Il braquait ses lentilles sur tout: eau d'égout, eau de pluie, soupe à l'oignon. Il arrêtait même des gens dans la rue et leur demandait de la salive pour l'examiner. Van Leeuwenhoek n'était pas un savant mais un observateur très méticuleux. Il décrivit avec précision le monde étrange qu'il voyait à travers ses lentilles. Il découvrit un jour, dans une goutte d'eau, de minuscules créatures qui y frétillaient. Il fit, dans de longs rapports envoyés à la savante Société royale de Londres, des descriptions et des dessins minutieux de ces animalcules, de ces "misérables bestioles", comme il les appelait. De nos jours, les hommes de science ont identifié les bactéries qu'il a reproduites avec tant de précision.

Depuis Van Leeuwenhoek, l'optique a fait bien des progrès. Des microscopes optiques, munis de lentilles grossissant les objets des milliers de fois, ont été mis au point et l'on dispose aujourd'hui de microscopes électroniques encore plus puissants.

Croquis d'animalcules
trouvés sur une goutte d'eau.

Longtemps après la découverte de l'existence des microbes, on ne pensa guère à les associer à des phénomènes aussi courants que la fermentation, la fabrication du fromage et l'altération des aliments. En fait, ce n'est qu'au XIXᵉ siècle que le célèbre savant français, Louis Pasteur, montra comment les microbes provoquent la fermentation.

Pasteur versa de petites quantités de bouillon dans plusieurs flacons et, lorsque ce bouillon fut rance, l'examina au microscope: les microbes y pullulaient. Il refit un autre bouillon et scella aussitôt le flacon. Cette fois, il resta limpide: nulle trace de microbes. D'où venaient-ils donc? Il supposa qu'ils étaient transportés par l'air.

Pasteur fit ensuite bouillir de la levure dans des ballons en verre puis en chauffa les cols, qu'il recourba en col de cygne. Dans ces récipients, même débouchés, la levure ne s'altéra pas. Il en chercha les raisons: premièrement, la chaleur de l'ébullition, jugea-t-il, tuait les microbes contenus dans le bouillon; deuxièmement, la courbure des cols

Louis Pasteur

88

empêchait la pénétration des microbes contenus dans l'air.

On doit à Pasteur encore bien des découvertes importantes. Il mit au point un vaccin immunisant bœufs et moutons contre l'anthrax, maladie infectieuse qui décimait les troupeaux. Il identifia un microbe qui s'attaquait au ver à soie et indiqua la méthode pour le combattre, sauvant ainsi l'industrie française de la soie. Il remarqua que le jus de raisin se transforme en vin sous l'action de micro-organismes, dont certains lui confèrent un bouquet particulier alors que d'autres le troublent et lui donnent un goût amer. A l'avantage de la viticulture française, il imagina un procédé qui consiste à faire chauffer le vin et à le refroidir ensuite rapidement, ce qui en détruit les germes nuisibles. C'est la pasteurisation, généralement appliquée de nos jours aux vins, aux boissons fermentées et, surtout, au lait, pour le débarrasser des germes nocifs et en faire un aliment parfaitement sain.

Après Pasteur on a continué à faire de nombreuses découvertes dans le domaine des microbes. On en connaît aujourd'hui les diverses espèces, le milieu qui leur convient et leurs activités. On a aussi appris à les cultiver, à les détruire, à éliminer les effets nocifs des uns et à utiliser les effets favorables des autres. Les études de ces organismes minuscules se poursuivent et en éclairent chaque jour de nouveaux aspects.

PETITS MAIS NOMBREUX

Tous les microbes ont un point commun: leur taille minuscule. Il est difficile de se représenter à quel point ils sont petits. Imaginez le plus petit objet possible: un grain de poussière ou de sable fin, la pointe d'une aiguille; un microbe est environ un millier de fois plus menu qu'aucun d'entre eux. Prenez un cheveu: voyez comme il est fin! Eh bien, soixante microbes, côte à côte, en occuperaient l'épaisseur! Et, répétons-le, 25 000 microbes, mis bout à bout, ne mesurent que 2,5 cm (1 pouce).

Si les microbes sont les êtres vivants les plus petits qui soient, il sont aussi les plus nombreux. Il y en a plus sur cette terre que de poissons dans les mers ou de fourmis dans les fourmilières. Ils forment un ensemble fort complexe, au sein duquel on distingue des milliers de types ou espèces, ayant des formes et des tailles bien définies, un genre de nourriture particulier et se développant dans des milieux différents et des climats divers.

Les hommes de science désignent chacune de ces espèces d'un nom formé de deux mots, ordinairement latins ou grecs. Le premier indique un groupe plus vaste auquel le microbe appartient: son genre; le second, son espèce. Ensemble, ces mots donnent une certaine description de cet organisme minuscule. Ainsi, *Volvox perglobator* indi-

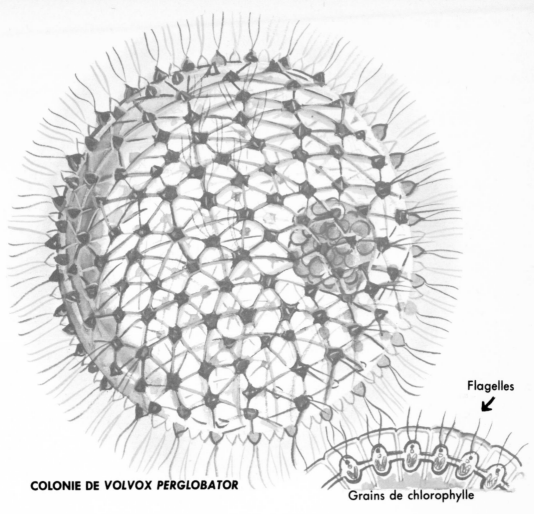

Flagelles

COLONIE DE *VOLVOX PERGLOBATOR*

Grains de chlorophylle

que une espèce formant des colonies rondes comme des boules, qui nagent dans l'eau en roulant sans cesse sur elles-mêmes. *Volvox* est un mot latin, dérivé du verbe *volvere,* signifiant rouler; *perglobator* veut dire, en latin, en forme de boule. Ces noms permettent d'identifier rapidement une espèce, sans de longues explications.

CE QU'IL FAUT À LA VIE DES MICROBES

Comme il faut aux êtres humains des aliments, de l'eau, de l'oxygène, de la chaleur et bien d'autres choses encore pour subsister, les microbes ont aussi certains besoins.

Bien sûr, il leur faut de la nourriture. Certains ont besoin d'aliments très riches, d'autres d'aliments plus simples. Il y a des microbes qui se développent sur d'autres êtres vivants, animaux ou plantes. Ils se nourrissent aux dépens de leurs hôtes; on les appelle parasites. Les microbes qui causent les maladies sont en général des parasites.

D'autres tirent leur subsistance d'êtres que la vie a quittés: cadavres d'animaux, vieux troncs d'arbres et plantes mortes. Ce sont les microbes de la putréfaction, que la

science qualifie de saprophytes. Dès qu'une plante ou un animal meurt, ils s'y installent et se nourrissent de sa substance. La nature en offre bien des exemples, comme celui des feuilles qui brunissent en automne, tombent et se désagrègent, jusqu'à ce qu'il n'en reste que poussière. Ce sont les saprophytes qui les attaquent, les décomposent pour en tirer tous les éléments qui leur sont nécessaires. La plupart des microbes, plus de 95%, sont saprophytes.

Les micro-organismes ont aussi besoin d'eau, comme tous les autres êtres vivants. Elle leur est nécessaire pour la formation du protoplasma, pour la digestion ou pour tout autre fonction vitale. Sans eau, la plupart des microbes dépérissent peu à peu et un grand nombre d'entre eux meurent.

La température la plus favorable au développement des diverses espèces de microbes varie suivant chacune d'elles. Il y en a qui prospèrent dans les températures les plus basses et on en trouve dans les glaces et les neiges des zones polaires.

D'autres espèces ont besoin de fortes chaleurs: climat tropical, sources d'eaux thermales; mais la plupart préfèrent le climat tempéré, la chaleur du corps ou celle d'une belle journée d'été. C'est pour cela qu'on doit garder les aliments au frais, en été surtout, car ils se gâtent plus vite quand il fait chaud: les microbes se multiplient plus rapidement.

Bien que dépourvus de poumons, les microbes respirent: ils absorbent l'air, ou un autre gaz, à travers la paroi extérieure de la cellule à l'intérieur de laquelle ce gaz transforme les aliments en énergie, aussi vitale pour les microbes que pour toute autre créature: elle leur permet de se nourrir, d'élaborer leur protoplasma, d'exercer toutes fonctions nécessaires à leur vie. Les microbes absorbent donc l'oxygène de l'air et en rejettent le gaz carbonique.

Certaines espèces peuvent se passer d'oxygène. Un autre gaz, tel l'azote de l'air, suffit à leurs besoins vitaux. Ces espèces vivent enfouies dans le sol, sous des amas de rebuts ou au plus profond des organismes, où l'oxygène n'arrive guère.

La plupart des microbes préfèrent l'obscurité. Les rayons du soleil sont nocifs et souvent mortels pour bien des espèces. La nature en limite ainsi le nombre.

Nourriture, eau, température favorable, gaz respirables et parfois obscurité, tels sont les éléments essentiels à la vie et au développement des microbes. Que l'un ou l'autre vienne à manquer, ces êtres minuscules n'y survivront sans doute pas.

On peut cultiver des microbes chez soi; cela n'est pas difficile. Un peu de bouillon gras sera laissé toute la nuit dans un endroit chaud; le lendemain matin, on constatera qu'il est devenu trouble et fétide: les microbes de l'air y ont pénétré et s'en nourrissent. Ce bouillon est gâté dira-t-on. En réalité il est entré en décomposition. Le microscope révélera un fourmillement de microbes.

Un autre moyen de cultiver des microbes consiste à placer un morceau de pain humide dans un endroit chaud et obscur. Bientôt, une mousse grisâtre—la moisissure—le recouvrira comme d'une toile fine. Quelques jours après, de petites taches noirâtres apparaîtront, puis tout le pain noircira, s'émiettera et sentira mauvais. Les micro-organismes de la moisissure et les bactéries peu à peu le consomment.

On cultive souvent des microbes en laboratoire, afin d'en étudier la forme, la manière de vivre, de se développer et

les multiples activités. Dans ce but, on prépare un aliment
spécial—appelé bouillon de culture—qu'on met dans des
tubes soigneusement stérilisés et qu'on ensemence de spéci-
mens des microbes à étudier; on y ajoute parfois du sucre,
du sel, de la gélatine et même du sang, ce qui en favorise
le développement. Les tubes sont bouchés avec du coton,
qui joue le rôle d'un filtre, empêchant les microbes de
l'atmosphère d'y pénétrer et ceux de l'intérieur d'en sortir.
En même temps, ces derniers peuvent respirer, car le coton
laisse passer l'air. Les tubes sont ensuite rangés dans une
atmosphère et à la température appropriées, à l'intérieur
de placards obscurs appelés incubateurs. Ils contiendront
sous peu assez de micro-organismes, pour permettre aux
spécialistes de les observer au microscope, de faire des
expériences.

ALIMENTATION DES MICROBES

Les microbes n'ont pas de dents et, souvent, pas de bouche. Ils n'ont ni estomac ni intestins pour digérer les aliments. Mais alors, dira-t-on, comment ces créatures microscopiques arrivent-elles à se nourrir?

Comme les plantes vertes, certains microbes végétaux tirent leur nourriture de l'air, de l'eau et des minéraux, grâce à une substance verte, la chlorophylle, mais la plupart absorbent leur nourriture sous forme liquide. Certains la tirent simplement du milieu environnant; d'autres sécrètent des substances chimiques qui transforment les aliments solides, à leur portée, en un liquide qui traverse la membrane extérieure. De même, les résidus aqueux ou gazeux, peuvent être éliminés à travers cette membrane qui

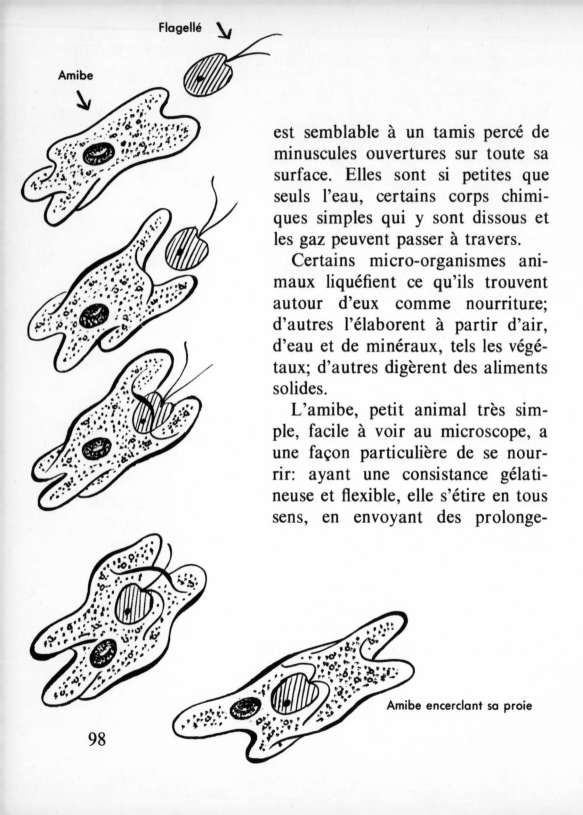

Flagellé

Amibe

est semblable à un tamis percé de minuscules ouvertures sur toute sa surface. Elles sont si petites que seuls l'eau, certains corps chimiques simples qui y sont dissous et les gaz peuvent passer à travers.

Certains micro-organismes animaux liquéfient ce qu'ils trouvent autour d'eux comme nourriture; d'autres l'élaborent à partir d'air, d'eau et de minéraux, tels les végétaux; d'autres digèrent des aliments solides.

L'amibe, petit animal très simple, facile à voir au microscope, a une façon particulière de se nourrir: ayant une consistance gélatineuse et flexible, elle s'étire en tous sens, en envoyant des prolonge-

Amibe encerclant sa proie

98

ments, appelés pseudopodes, qui rampent et avancent lentement. Ces membres temporaires arrivent, tôt ou tard, à atteindre une parcelle de nourriture—parfois un autre micro-organisme. Peu à peu leurs extrémités se rejoignent et ils encerclent cette particule, l'introduisant dans l'amibe même. Là, cette parcelle de nourriture est triturée sans cesse, pendant que des sucs digestifs sont à l'œuvre et la décomposent graduellement en éléments de plus en plus simples. L'amibe utilise alors ces produits pour renouveler son protoplasma, créer de l'énergie ou pour toute autre activité.

Si, à ce moment, elle n'a pas besoin de toute la nourriture absorbée, elle en accumule l'excédent dans des cavités appelées vacuoles. Quand l'amibe ne peut pas trouver de nourriture autour d'elle, elle utilise ces réserves.

L'amibe se débarrasse très facilement des déchets. Après avoir digéré jusqu'au moindre brin de nourriture, elle repousse les déchets, qui s'accumulent à l'intérieur de son corps en parcelles minuscules, jusqu'à ce qu'ils atteignent la fine membrane extérieure, par laquelle ils sont expulsés.

C'est ainsi que ces êtres, invisibles à l'œil nu, attrapent leur nourriture, la digèrent et en font même des réserves.

Les micro-organismes végétaux ne font pas de réserves alimentaires, mais certains emmagasinent d'infimes quantités de fer et de soufre.

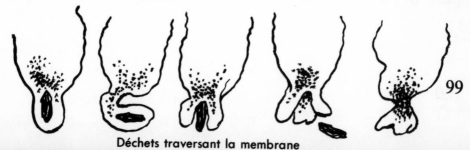

Déchets traversant la membrane

LES MICROBES ANIMAUX

Les microbes animaux font partie d'un groupe particulier, celui des protozoaires, tous unicellulaires, c'est-à-dire composés d'une seule cellule. Au sein de ce groupe, très vaste, on trouve des espèces étranges, si différentes les unes des autres qu'on a peine à croire à leur parenté.

Il y en a qui vivent dans le sol humide ou dans le corps de l'homme ou de l'animal mais c'est l'eau qui est l'habitat de la plupart d'entre eux. Une seule goutte, vue au microscope, en contient des centaines qui y nagent. Ils ont les formes les plus étranges que l'on puisse imaginer. La plupart ne sont que de petites boules de protoplasma, sans

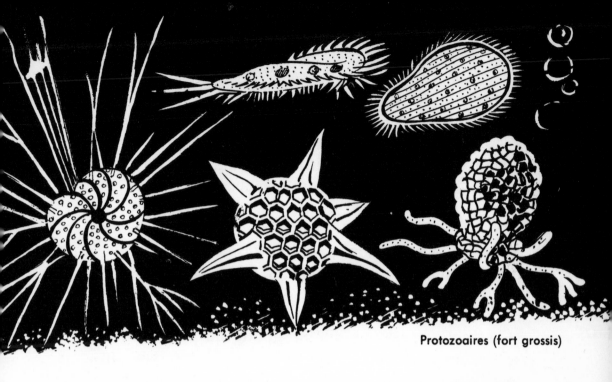

Protozoaires (fort grossis)

forme définie; il y en a qui ressemblent à de minuscules dirigeables fonçant à toute allure; d'autres, en forme de croissant, rappellent des masques grotesques ou de petites étoiles.

Les protozoaires sont les plus petits et les plus simples des êtres vivants. Le microscope en révèle clairement la constitution. Au centre de la cellule, il y a un noyau bien délimité, entouré de vacuoles, espaces destinés à emmagasiner la nourriture. Quelques-uns même ont une sorte de bouche.

La plupart des protozoaires peuvent se déplacer librement, ce qui permet aux hommes de science de les isoler, pour les étudier. Comme le plus grand nombre vit dans

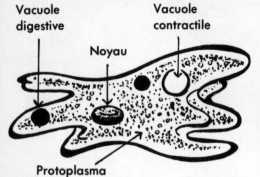

Vacuole digestive

Vacuole contractile

Noyau

Pseudopode

Protoplasma

l'eau, ils s'y déplacent à la nage, y frétillent en quête de nourriture ou pour échapper au danger qui les guette.

Certains protozoaires se meuvent en se propulsant dans tous les sens. Ils envoient de longs prolongements mobiles, appelés pseudopodes (faux pieds) qui, en s'étirant, assurent le déplacement de cette créature microscopique. L'amibe fait partie de ce groupe. Vue au microscope, c'est une simple goutte de protoplasma. Elle se déplace avec une telle lenteur qu'il lui faut plusieurs jours pour franchir quelques centimètres (ou pouces).

La membrane extérieure de l'amibe est pratiquement inexistante. Si l'eau où elle évolue s'évapore ou gèle, l'amibe se met en boule et s'entoure d'une membrane résistante, formant ce qu'on appelle un kyste. Elle peut, sous cette forme, survivre longtemps, dans les conditions les plus défavorables. Lorsque la situation redevient normale, elle reprend sa forme première et retourne à la vie active.

L'amibe se nourrit de microbes, de bactéries, et de débris d'organismes végétaux ou animaux. Comme elle n'a pas de bouche, ses pseudopodes encerclent la proie et l'incorporent à la cellule, qui la digère. Cette façon qu'ont les amibes de se nourrir aide à purifier l'eau des rivières et des étangs.

102

Un second groupe de protozoaires est celui des flagellés. Ils se déplacent à l'aide de longs filaments partant de la membrane extérieure de la cellule et ressemblant à des fouets. Les hommes de science leur ont d'ailleurs donné le nom de flagelles (d'un mot latin signifiant *fouet*.). Battant et fouettant l'eau de leurs flagelles, les microbes avancent dans l'eau.

Certains s'en servent aussi pour attraper leur nourriture. Lorsqu'une proie se présente, ils la saisissent avec ces flagelles, qui la poussent à l'intérieur de la cellule à travers une minuscule ouverture, ou bouche, se trouvant à leur base. La cellule digère cette nourriture et emmagasine le surplus; les déchets sont rejetés soit par la bouche, soit par un petit orifice situé sur le côté.

Certains flagellés sont dangereux car ils peuvent envahir l'organisme humain ou animal et causer de graves maladies. D'autres sont inoffensifs et certains même sont utiles . . . aux termites, ces petits insectes qui dévorent le bois. Les flagellés s'installent dans l'intestin des termites et, en compagnie de certaines bactéries qui s'y trouvent aussi, digèrent les fibres de bois que l'insecte a rongées et qu'il ne peut digérer. Il mourrait donc de faim sans l'aide des flagellés.

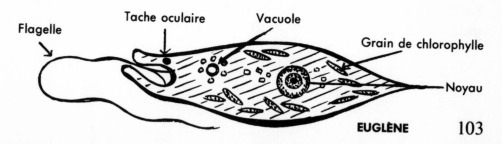

Flagelle — Tache oculaire — Vacuole — Grain de chlorophylle — Noyau

EUGLÈNE

103

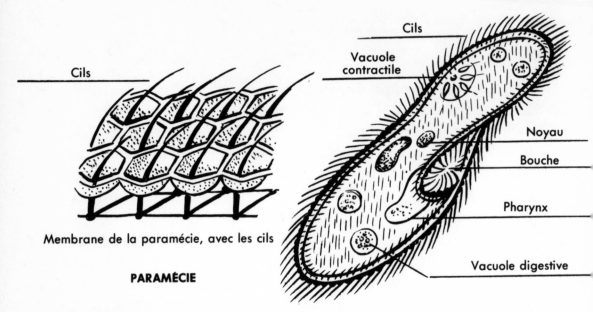

Cils

Membrane de la paramécie, avec les cils

PARAMÉCIE

Cils

Vacuole contractile

Noyau

Bouche

Pharynx

Vacuole digestive

Un troisième groupe de protozoaires se meut grâce à de courts filaments, ou cils, dont la membrane de l'animal est couverte. Les ciliés nagent par mouvements rythmiques: les cils se soulèvent et s'abaissent avec coordination, comme autant de petites rames, facilitant le déplacement de l'animal dans l'eau.

La plupart des ciliés ont une bouche permanente: c'est une petite dépression latérale, logée à peu près au milieu de la cellule. C'est à l'aide de cils courts et drus, qui entourent la bouche, qu'ils s'emparent de la proie et la poussent à l'intérieur de la cellule, où elle est digérée dans des vacuoles spéciales, et les déchets sont rejetés par des vacuoles contractiles, situées aux deux extrémités de l'animal. Au microscope, on peut voir à l'intérieur de la cellu-

Mouvement des cils

le, deux noyaux, un gros et un petit, ayant des fonctions différentes.

La plupart des ciliés sont inoffensifs. Ils ont souvent des formes amusantes, telle la paramécie, semblable à une pantoufle, qu'on peut voir parfois à l'œil nu. Les eaux stagnantes en contiennent des quantités.

Echantillon d'eau stagnante (très fort grossissement)

Un autre groupe de protozoaires n'a pas d'organes de locomotion, tels que cils ou flagelles. Ce sont tous des parasites, vivant aux dépens de l'organisme humain ou animal. L'un d'entre eux, particulièrement nuisible, est celui qui cause la malaria ou paludisme. Ce microbe a une évolution compliquée s'opérant en partie, dans le sang d'un être humain et, en partie, dans l'organisme d'un moustique d'un type spécial, l'anophèle, qui vit surtout dans les régions tropicales. Cela se passe ainsi: le microbe de la malaria se développe dans l'estomac du moustique, jusqu'à un certain stade, puis passe dans ses glandes salivaires; dès que celui-ci pique quelqu'un, le microbe passe avec la salive dans l'organisme de la victime. Là, il se multiplie rapidement dans les globules rouges du sang, qui éclatent sous le nombre. Le malade est alors saisi de frissons et de fièvre caractérisant la malaria. Ayant atteint un autre stade de développement dans le sang humain, le microbe est aspiré en même temps que ce sang par un autre moustique qui piquerait ce malade; il passe dans l'organisme de l'insecte, s'y multiplie et le cycle recommence. Pour se développer, se multiplier, survivre, le microbe de la malaria a également besoin de l'hôte humain et de l'hôte animal, le moustique. C'est pour cela que la lutte contre cette terrible maladie est menée en détruisant ces insectes.

Bon nombre d'autres protozoaires ont un cycle de vie

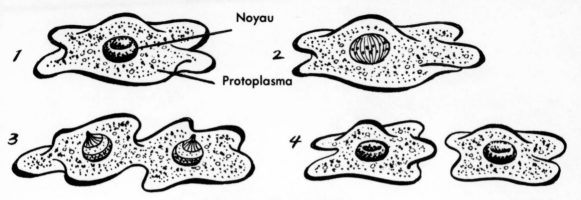

Noyau

Protoplasma

DIVISION D'UNE AMIBE

moins compliqué: ils se multiplient simplement en se divisant en deux. Au moment de la division, de petits corpuscules se déplacent à l'intérieur du noyau et peu à peu s'y alignent de chaque côté, en nombre égal, telles deux équipes qui s'affrontent. Une légère fissure se produit alors au centre du noyau, comme si les équipes tiraient chacune de leur côté. Elles tirent jusqu'à ce que ce noyau se divise en deux autres distincts, qui se dirigent vers les pôles opposés de la cellule et la forcent à se diviser à son tour, formant ainsi deux nouveaux protozoaires, chacun complet et indépendant. En temps voulu, ceux-ci se diviseront et en formeront deux autres qui continueront ce cycle.

La famille des protozoaires est considérable; elle comprend des micro-organismes animaux et certains autres qui renferment de la chlorophylle, comme les plantes. Ils sont loin d'être tous nuisibles, comme ceux qui causent des maladies: il y en a parmi eux de fort utiles à la vie animale et végétale.

LES ALGUES

Certains microbes végétaux appartiennent au groupe des algues, dont beaucoup sont unicellulaires. Si petites soient-elles, les algues contiennent en général de la chlorophylle, cette substance verte qui colore les feuilles des plantes les plus connues. C'est grâce à la chlorophylle que les algues peuvent élaborer leur nourriture, comme tout autre être du règne végétal. Sous l'effet de la lumière et de la chlorophylle, le gaz carbonique de l'air et l'eau se combinent pour donner le sucre dont les algues se nourrissent. Elles ne prospèrent cependant pas en plein soleil mais dans des lieux ombragés. Leur habitat est l'eau ou les endroits extrêment humides.

Chez certaines, le vert de la chlorophylle est masqué par une coloration brune ou rouge; les unes vivent isolées, comme des plantes unicellulaires, d'autres forment d'im-

108

menses colonies. L'écume verte flottant à la surface de certains étangs est constituée par une espèce d'algues. D'autres espèces croissent sur les troncs des arbres du côté nord, à même le sol dans les lieux humides et ombragés, sur des roches mouillées ou sur des pots de fleurs. Dans la forêt, on se guide sur les algues des troncs d'arbre pour s'orienter vers le nord et retrouver son chemin.

Groupées en colonies nombreuses, les algues forment certaines des plantes aquatiques des lacs et des mers. On en met dans les aquariums, où elles purifient l'eau.

Pour la vie aquatique, les algues sont très importantes: elles dégagent de l'oxygène, qui contribue à assainir le milieu ambiant; elles servent de nourriture aux poissons. Leur principal intérêt est leur richesse en sels minéraux, en iode surtout. Dans certains pays, les algues constituent un aliment (au Japon, par exemple); ailleurs, elles font un excellent engrais.

LES MOISISSURES

Les moisissures sont des micro-organismes végétaux que tout le monde connaît. On trouve souvent un morceau de pain oublié, couvert de taches noires, ou un citron revêtu d'une couche verdâtre. Il arrive aussi que l'on trouve tout moisis des vêtements ayant séjourné trop longtemps dans un placard humide. Ces moisissures sont formées de champignons minuscules qu'on ne peut voir distinctement qu'au microscope. Ce n'est que parce qu'ils se groupent en vastes colonies, qu'on peut voir à l'œil nu les champignons qui causent les mildious de la vigne ou des pommes de terre et les moisissures qui couvrent le pain.

Dépourvus de chlorophylle, ils ne peuvent élaborer leur nourriture. Ils vivent d'ordinaire sur des matières en décomposition, mais certains sont parasites et se développent aux dépens d'autres êtres vivants, causant des maladies de la peau, comme le pied d'athlète, ou du cuir chevelu, comme la teigne.

Les moisissures sont des micro-organismes bizarres. Vue au microscope, celle du pain ressemble à une toile d'araignée. Au début, c'est une tache invisible à l'œil nu; il se forme bientôt un filament, qui s'allonge et se ramifie jusqu'à ce qu'il constitue un réseau serré de fils enchevêtrés. Chacun d'eux se développe à sa façon, tantôt en pé-

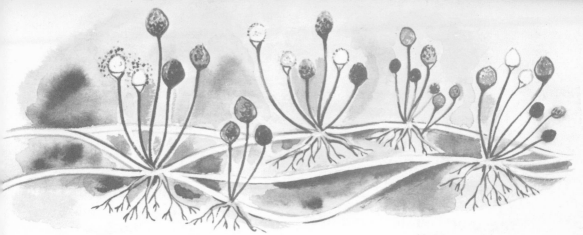

nétrant à l'intérieur du pain, tantôt en en recouvrant la surface. Les taches de moisissure sont blanches, noires ou diversement colorées.

La croissance des moisissures est rapide. Elles forment au début une pellicule blanche et douce, qui devient de plus en plus serrée et rude, et change de couleur. Lorsque la moisissure est prête à se reproduire, de petits filaments se détachent du réseau. Ces appareils sporifères ont des formes variées, suivant les genres; ce sont comme de petits sacs portant des graines minuscules, appelées spores; les taches noires, sur le pain moisi, sont des sacs de spores. Lorsque celles-ci sont mûres, ils s'ouvrent et laissent les spores se disperser partout, au gré du vent, des insectes ou même d'une brise légère. Tombée en terrain favorable, une spore y donnera naissance à un réseau de moisissures.

Toutes sortes de terrains leur sont propices mais, en général, elles fuient le soleil, recherchent l'humidité. Elles se forment sur les murs des caves, sur des objets gardés en des lieux obscurs et humides aussi bien que sur les confitures ou autres aliments insuffisamment cuits, qui se gâtent.

Pourtant il y en a d'utiles. On fait mûrir les fromages en y laissant se former des moisissures; certains, comme le roquefort ou le camembert, acquièrent une saveur et un arôme particuliers par l'addition d'un type spécial de moisissures, comme celles qui strient la pâte du roquefort.

Assez récemment, les savants ont découvert une nouvelle application des moisissures: la préparation de médicaments miraculeux appelés des antibiotiques. L'un d'eux, la pénicilline, sert à traiter toutes sortes d'infections; c'est, comme la plupart, un extrait de cultures de moisissures.

Elle a été découverte en 1929 par un savant anglais, Sir Alexander Fleming. Une spore de moisissure vert bleu (dont le nom est *Penicillium notatum*) était tombée par hasard dans une culture de microbes pathogènes qu'il étudiait. Fleming remarqua que tout autour, à mesure qu'elle se développait, les microbes étaient détruits, et se demanda s'il ne pourrait l'utiliser à combattre ces germes. Il isola la moisissure sur bouillon et l'expérimenta sur d'autres microbes, avec le même effet. Il en conclut qu'elle contenait un principe actif: la pénicilline, qui détruisait certains germes nocifs. Et, qui plus est, en principe elle n'était pas toxique pour l'organisme humain.

Pendant quelque temps, cette découverte tomba dans

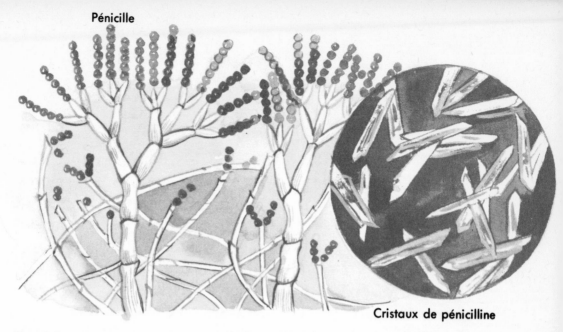

Pénicille

Cristaux de pénicilline

l'oubli. Ce n'est qu'en 1940, en raison des besoins que la guerre créait, que les travaux reprirent et démontrèrent l'importance de la pénicilline. Les entreprises pharmaceutiques en produisent de nos jours de grandes quantités pour combattre certaines infections autrefois incurables. La découverte de la pénicilline entraîna celle d'autres antibiotiques: streptomycine, terramycine, etc.

Ces médicaments ont, par leur efficacité, sauvé bien des vies et les recherches scientifiques se poursuivent afin d'en trouver de nouveaux. La pénicilline est tirée d'une moisissure qui se développe communément sur des fruits, car elle a besoin de sucre et d'eau; la terramycine, elle, provient d'un microbe du sol. Les moisissures n'ont pas toutes des propriétés antibiotiques, mais les chercheurs espèrent toujours en trouver d'autres.

113

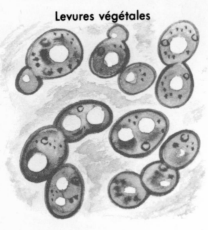
Levures végétales

LES LEVURES

On trouve encore parfois dans le commerce des blocs de levure pressée, pour la préparation du pain ou de certaines pâtisseries. Ces masses humides renferment des millions d'êtres unicellulaires, appartenant au règne végétal, en particulier à des familles de champignons. Un pain de levure ne ressemble guère à une plante, mais si on en délaye une miette dans un peu d'eau et qu'on la place sous le microscope, on y verra grouiller d'étranges micro-organismes.

Il y en a diverses espèces, tous des végétaux des plus simples, généralement de forme ovale. Ils sont incolores et se présentent comme des cellules séparées; certains forment parfois un chapelet. Bien que ce soient les plus gros des micro-organismes végétaux, les levures ne peuvent être vues qu'au microscope et à un assez fort grossissement.

Elles croissent très vite. Une telle cellule atteint son plein développement en une trentaine de minutes; après quoi, elle commence à en former une autre, par bourgeonnement. Au microscope, on voit apparaître une petite bosse sur le côté de la cellule, un bourgeon, qui grossit jusqu'à donner une nouvelle cellule. Celle-ci peut rester

114

accolée à la cellule-mère mais s'en sépare facilement. Au bout de trente autres minutes, les deux premières auront donné naissance à deux nouvelles cellules, et ainsi de suite. Une cellule de levure très active peut donner quatre ou cinq bourgeons en même temps.

Les levures consomment beaucoup d'aliments. Certaines absorbent en une heure plus de leur propre poids en sucres divers. A l'intérieur de la cellule, ces sucres sont décomposés en éléments plus simples: gaz carbonique et alcool. Ces substances traversent la membrane cellulaire et se répandent dans le milieu environnant.

La décomposition du sucre en alcool et en gaz carbonique est la fermentation. Grâce à elle, on obtient de nombreux produits; c'est ainsi que le jus de raisin se transforme en vin. Dans des conditions données, la levure fait fermenter les sucres des grains servant à faire la bière et certains sucres qui donnent la glycérine, produit aux multiples usages.

Presque partout autour de nous il y a de ces petites levures; c'est dire que la fermentation ne cesse jamais. Elle altère quantité de liquides contenant du sucre.

La levure est très importante pour la préparation du pain, car c'est elle qui fait lever la pâte. Au mélange de farine, lait, sucre, beurre et sel, on ajoute une certaine quantité de levure. On recouvre la pâte et on la laisse reposer dans un endroit chaud. A mesure que les cellules de levure s'échauffent dans la pâte, elles s'y multiplient et en absorbent le sucre. La fermentation commence. Le sucre est dissocié en alcool et en gaz carbonique. Les cellules dégagent ces éléments dans la pâte qui, grâce à sa consistance épaisse et élastique, empêche le gaz de se répandre au-dehors et l'emprisonne sous forme de petites bulles. Au fur et à mesure que ces bulles se dilatent, elles font lever la pâte. C'est ce qui donne au pain sa légèreté et sa fine texture, sa mie trouée d'yeux qui s'agrandissent quand la pâte cuit; l'alcool que dégage la levure s'évapore à la cuisson.

Les levures ne sont pas toutes utiles; certaines causent même des maladies. Des levures sauvages, ayant poussé sur des fruits servant à faire le vin, peuvent en altérer le goût. Les diverses industries veillent à ce que de telles levures ne se mêlent pas à celles qu'elles cultivent pour leurs besoins, car les produits obtenus seraient différents, et probablement de qualité inférieure à la moyenne.

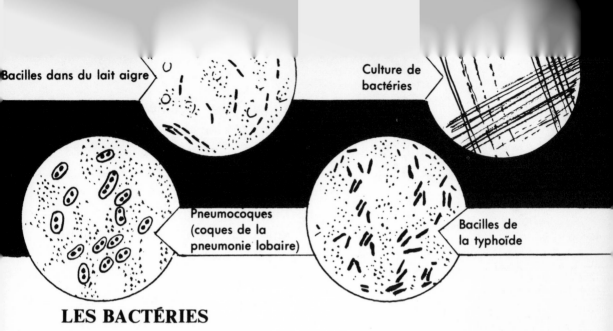

Bacilles dans du lait aigre

Culture de bactéries

Pneumocoques (coques de la pneumonie lobaire)

Bacilles de la typhoïde

LES BACTÉRIES

Plus petites que les levures, certaines plantes unicellulaires, qui n'ont ni feuilles, ni racines, ni tiges, appartiennent au groupe des bactéries. C'est la plus simple des formes de microbes, constituée d'une cellule dépourvue de noyau bien défini. Mais pour petites et simples qu'elles soient, chacune d'elles est une cellule vivante, indépendante et fort active.

Le groupe des bactéries comprend des centaines d'espèces variées, différant entre elles au point de vue nutrition, mode de vie, activités. Mais on n'y distingue que trois formes: 1. plus ou moins sphérique, 2. petits bâtonnets, 3. spirale rappelant des tire-bouchons minuscules.

Les bactéries arrondies portent le nom de coques (du latin *coccus,* grain). Ce sont de petites boules de protoplas-

117

Coques

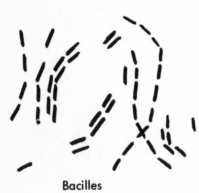

Bacilles

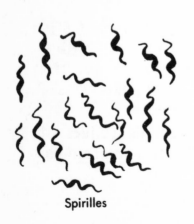

Spirilles

ma, isolées ou accolées deux à deux; d'autres se suivent à la file, formant des chapelets de bactéries, ou se groupent en petits amas, rappelant des grappes de raisin. Sous l'une ou l'autre de ces formes, elles flottent constamment dans l'air et causent de nombreuses infections.

Les bactéries en forme de bâtonnets portent le nom de bacilles, dérivé d'un mot latin signifiant petit bâton. Les bacilles sont longs ou courts, fins ou épais, droits ou incurvés. Il y en a de ramifiés, en V ou en Y. Ils ressemblent à de minuscules brindilles rigides.

Mais ils sont extrêmement mobiles, quand ils sont pourvus de cils ou de longs flagelles, à l'aide desquels ils nagent dans un milieu liquide. Leurs flagelles sont parfois très longs, jusqu'à quatre ou cinq fois plus que la taille du microbe lui-même.

Certains bacilles n'ont qu'un filament, à l'une de leurs extrémités; d'autres en portent un à chaque bout; certains ont une touffe de cils; chez d'autres, toute la surface de la cellule en est couverte.

Il peut sembler étrange que des plantes se déplacent librement, puisque celles que l'on voit ordinairement sont solidement ancrées par des racines dans le sol. N'en ayant pas, les bacilles sont mobiles et se meuvent en tous sens. On en trouve à peu près partout: dans le sol, dans l'eau, dans l'air flottant avec la poussière, dans la bouche et les intestins de l'homme aussi bien que sur toute la surface du corps.

Les bactéries spiralées portent le nom de spirilles ce qui veut dire petites spirales. Leurs spires peuvent être très serrées ou très lâches. Elles ont parfois simplement la forme de petites virgules. Les microbes en tire-bouchons sont intéressants à observer au microscope. Ils tournent sur eux-mêmes comme des toupies et, grâce à leur forme, peuvent transpercer certains matériaux. La plupart des spirilles sont inoffensifs, mais certains causent des maladies.

Spirilles

119

Les bactéries se reproduisent très simplement. Lorsqu'elles atteignent une certaine taille, elles se divisent en deux nouvelles cellules. Certaines bactéries peuvent se scinder ainsi toutes les vingt minutes. En un jour, l'une d'elles peut se multiplier bien des fois. Supposons qu'il n'y ait, au départ, qu'un seul bacille: au bout de vingt minutes, il y en aura deux; en un jour, il y en aura des millions.

Lorsqu'une bactérie tombe dans un milieu favorable, elle y trouve toute la nourriture nécessaire et se reproduit très vite. Il se forme aussitôt toute une famille de bactéries, toutes semblables. Si elles se développent sur des matières solides, elles se groupent en masses très serrées, que les savants appellent des colonies et que l'on peut facilement voir à l'œil nu. Les petites taches qui apparaissent sur les aliments avariés sont des colonies de microbes. Elles peuvent être rouges, jaunes, blanches, grises ou noires. Elles peuvent être grandes et plates, sillonnées de petits plis, avec des bords ondulés; ou encore, former des cercles lisses et brillants. Certaines colonies sont formées de gouttelettes gluantes qui suintent et s'étalent à la surface des aliments. Ces colonies sont intéressantes parce que faciles à voir avec des formes et des couleurs variées. Les hommes de science en étudient la taille et la forme pour mieux identifier les diverses espèces de bactéries. Ces micro-organismes ont divers moyens de défense. Il y en a qui s'entourent d'une enveloppe visqueuse (ou capsule) qui leur sert de bouclier. Comme cette capsule est difficile à percer, le microbe se trouve en sûreté à l'intérieur.

D'autres se recroquevillent en petites boules et s'entourent d'une membrane protectrice pour résister à la sécheresse, à la chaleur intense, aux agents chimiques et à la lumière solaire. Même sans eau et sans nourriture, ils peuvent subsister longtemps ainsi. Dès que les conditions redeviennent favorables, la membrane éclate et les bactéries reprennent une vie normale.

LES VIRUS

Un autre groupe de microbes est celui des virus. La plupart sont beaucoup plus petits que la moindre bactérie. En fait, ils sont si petits qu'on ne peut les voir au microscope ordinaire. Il reste beaucoup à apprendre sur ces microbes, que les savants ne cessent d'étudier. Jusqu'ici, les virus les mieux connus sont ceux qui causent des maladies. Ce sont des parasites qui se reproduisent dans les cellules vivantes de l'homme, des animaux, des plantes ou même d'autres microbes. Qui donc n'en a jamais ressenti les effets? Ce sont eux qui causent entre autres la grippe, la rougeole, les oreillons, la varicelle, la poliomyélite.

POUR LA VIE DES PLANTES

Un sol fertile est important pour tout le monde! Sans cela, pas de végétation possible et, sans végétation, point de vie sur terre. Tout être tire sa nourriture des plantes. Il est vrai que certains animaux en mangent d'autres, mais ces derniers peuvent fort bien se nourrir de plantes ou d'autres bêtes qui, elles, sont herbivores. Quoi qu'il en soit, la subsistance de tout être vivant, sans exception, dépend de la végétation et, par là même, des microbes. Ce sont eux, en effet, qui enrichissent le sol des substances chimiques nécessaires à la vie, à la croissance des plantes.

Chaque pelletée de terre en renferme des millions. Grâce aux processus naturels qui assurent leur vie, nombre de microbes fertilisent le sol.

Les micro-organismes rendent service à l'agriculteur de bien des façons. En provoquant la décomposition des plantes et des bêtes mortes, ils l'en débarrassent. Si celles-ci ne disparaissaient pas, si elles s'entassaient les unes sur les autres, une couverture d'organismes morts étoufferait la terre, ses champs verdoyants, ses forêts embaumées, ses ruisseaux limpides. Certains microbes préviennent cet état de choses et c'est là l'un des services les plus précieux qu'ils rendent à l'homme.

Qu'une plante se fane, qu'une feuille tombe, qu'un être vivant, quel qu'il soit, meure, les microbes l'attaquent aussitôt. Ils ne le font pas tous ensemble, car leur genre de nourriture n'est pas le même, mais se relayent à l'œuvre. Un type de microbes décompose les matières mortes en éléments plus simples; puis un autre prend la relève et dissocie ces éléments en d'autres encore plus simples. Se suivant ainsi, plusieurs types de microbes transforment les substances organiques, jusqu'à ce qu'il n'en reste que des éléments chimiques simples, du gaz, de l'eau et l'humus du sol. Rien ne se perd: l'air et le sol absorbent la moindre particule.

Les gaz carbonique et ammoniac sont particulièrement importants pour les plantes vertes. Celles-ci ont besoin de gaz carbonique qu'elles trouvent surtout dans l'air. Elles en extraient le carbone qui est l'une des principales matières premières assurant leur subsistance. L'ammoniac contient l'azote indispensable à leur vie mais la plupart ne peuvent l'assimiler tel quel; elles ne peuvent l'absorber que par les racines, sous forme de nitrates (ou azotates), et c'est là que le rôle des microbes est important. Dans le sol, l'ammoniac se combine à d'autres éléments chimiques pour don-

ner des sels ammoniacaux; deux sortes de bactéries changent ces sels en nitrates que les plantes peuvent absorber.

D'autres bactéries transforment l'azote de l'air contenu dans le sol en substances assimilables par la plante. Certaines vivent dans le sol même, d'autres s'installent dans les racines de plantes telles que pois, fèves, trèfle ou luzerne. Leurs colonies y forment de petites bosses, les nodosités, et subsistent aux dépens de la plante, à laquelle elles assurent en même temps l'azote nécessaire: elles l'empruntent à l'air contenu dans la terre et le transforment en substances azotées, indispensables à la vie végétale. Après la récolte, des racines avec nodosités, riches en azote restent dans la terre. On cultive la luzerne et le trèfle pour les enfouir ensuite dans le sol et l'enrichir.

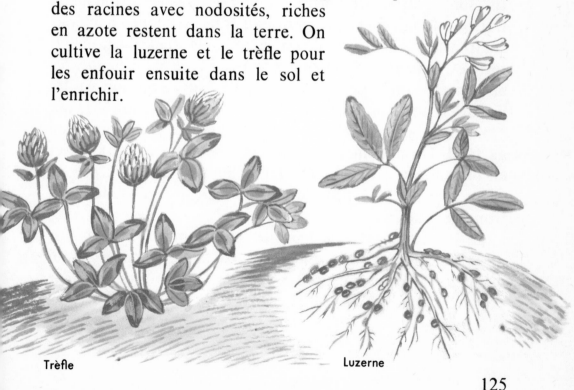

Trèfle   Luzerne

ALIMENTS ET MICROBES

Les microbes aident à la fabrication de certains aliments d'usage courant, tels que fromage, choucroute, marinades. Ils sont surtout importants dans l'industrie fromagère. Lorsque le lait n'est pas gardé au frais, certaines bactéries en transforment le sucre, ou lactose, en acide lactique. Il surit et acquiert une odeur spéciale. En se multipliant, les bactéries forment de plus en plus d'acide, ce qui fait cailler le lait. Il se sépare en une partie liquide, le petit-lait, qui monte à la surface, et une partie solide, le caillé, qui reste au fond. On obtient le fromage en égouttant le petit lait et en pressant le caillé. Le fromage blanc est du caillé pressé; en y ajoutant un peu de crème fraîche, on obtient un fromage à la crème.

Le lait caillé est à la base de tout fromage. Les saveurs et consistances variées sont dues aux bactéries diverses qui y sont ajoutées et qui produisent chacune un type différent de fromage, grâce aux substances chimiques que chacune d'elles élabore. Jusqu'aux gros trous du fromage de gruyère, tout est dû aux fermentations qu'elles déterminent. Pour la préparation de ce genre de fromage, on ajoute au lait de vache, caillé et bien égoutté, une espèce particulière de bactéries. On le presse ensuite en forme de grosses meules que l'on place dans des caves obscures, à une température propice à la multiplication des bactéries. En se nourrissant aux dépens de certains éléments du fromage, qu'elles décomposent, ces bactéries dégagent une bonne quantité de gaz qui, ne pouvant s'échapper de la pâte épaisse, y forme des bulles qui grossissent à mesure que la quantité de gaz augmente déterminant les yeux du fromage.

De nos jours, on sait exactement que telle bactérie produira telle sorte de fromage et l'industrie fromagère se procure l'espèce nécessaire au type désiré.

Lors de la préparation du beurre, on laisse parfois surir la crème avant de la baratter, ce qui lui donne une saveur particulière de noisette fraîche. C'est ce qu'on appelle la maturation de la crème qui est aussi due aux bactéries.

La choucroute est également l'œuvre de certaines bactéries. Pour la préparer, on hache du chou frais qu'on saupoudre généreusement de sel, ce qui en extrait le jus sucré. Les bactéries qui se trouvent sur le chou et dans l'air transforment le sucre du jus en acide, ce qui donne à la choucroute son goût aigrelet.

Les concombres et cornichons qu'on fait mariner dans une saumure additionnée d'épices subissent une transformation similaire. Le sel extrait de leur pulpe le sucre que les bactéries convertissent graduellement en acide. Cet acide s'infiltre dans les cellules du concombre, en chasse l'air, les décolore et leur donne un goût caractéristique.

Ce sont encore des microbes qui causent la transformation des jus de fruits ou des sucres de céréales en vinaigre. Certaines levures en convertissent le sucre en gaz carbonique et alcool, que des bactéries particulières, les bactéries acétiques, transforment en acide acétique. La fermentation du jus de pommes donne du vinaigre de cidre, celle du jus de raisin, du vinaigre de vin, et celle des sucres de l'orge ou d'autres céréales maltées, du vinaigre de malt.

Les micro-organismes sont donc importants pour l'industrie alimentaire. Bien plus, ils peuvent, eux-mêmes, servir d'aliments. Les hommes de science ont établi que, à poids égal, ces plantes et animaux minuscules contiennent autant de protéines que la viande de bœuf. Dans certains pays, en Irlande et au Japon surtout, les algues marines constituent un aliment apprécié. On étudie de nos jours le rôle que les microbes pourraient jouer dans l'alimentation de la population du globe.

MICROBES AU SERVICE DE L'INDUSTRIE

Hormis la fertilisation du sol, la préparation des produits alimentaires, les microbes rendent encore bien des services. Nombre d'industries du monde entier les utilisent pour la fabrication de produits divers.

Ce sont les microbes qui sont les agents principaux de la préparation des fils de lin, de chanvre ou d'autres fibres textiles. Ils étaient exclusivement utilisés autrefois et, encore aujourd'hui, malgré la mise au point de procédés chimiques, ce sont eux qui déterminent le rouissage des

129

fibres textiles, dans bien des pays. Le rouissage est l'opération qui consiste à faire tremper les tiges de la plante dans l'eau, pendant un temps déterminé. Dans ce milieu propice, les bactéries attaquent et décomposent la pectose, véritable ciment végétal qui lie ensemble les fibres, dont on retirera la filasse. Celle-ci subit ensuite diverses opérations destinées à purifier le fil dont seront faites les toiles de lin, les cordes ou toiles de chanvre ou de jute.

Les microbes étaient utilisés jadis dans l'industrie du cuir, pour débarrasser les peaux fraîches des restes de chair et des poils qui y restaient attachés, en en déterminant la décomposition. Ce procédé est encore employé actuellement dans certains pays, bien que l'industrie moderne utilise des produits chimiques dans ce but.

Dans la préparation des graines de café ou de cacao, ce sont encore les microbes qui interviennent. Pour les débarrasser de la pulpe qui les entoure, on laisse fermenter légèrement celle-ci, sous l'action de certaines bactéries qui la décomposent.

LES MICROBES NUISIBLES

A côté de ces microbes utiles, il y en a aussi beaucoup de nuisibles: les germes infectieux. Ce sont eux qui ont changé le cours de l'histoire en décimant des armées entières, en dépeuplant des villes et des contrées. Ils causent encore des maladies et des épidémies sans nombre, bien qu'on sache aujourd'hui les combattre, en entraver les effets nocifs.

Les germes infectieux ne diffèrent guère des autres micro-organismes. Leur aspect, leur mode de vie sont presque identiques. Ils se développent purement et simplement selon le cycle naturel de leur vie et sans but de nuire ou d'être utiles; mais en s'attachant, naturellement, aux plantes, aux animaux ou à l'homme, ils peuvent provoquer des maladies en croissant et en se multipliant. Ces parasites, ayant pénétré dans un organisme, y prolifèrent et se nourrissent aux dépens de leur hôte, dont les fonctions vitales s'affaiblissent et la maladie s'ensuit.

L'organisme a heureusement des moyens de défense contre les microbes. La bile et les sucs digestifs détruisent ceux qui arrivent à l'estomac; les voies respiratoires sont tapissées de cils et de mucus qui en arrêtent la pénétration dans les poumons ou qui les expulsent par la toux. En contact avec une plaie, les microbes avancent plus profondément dans les tissus, y croissent et s'y multiplient. Le mécanisme de défense entre aussitôt en jeu: certaines cellules du sang, les phagocytes, ont la propriété d'encercler l'agresseur, de l'incorporer et de le digérer, les déchets étant ensuite rejetés par l'organisme. C'est le phénomène de phagocytose, grâce auquel les germes sont détruits. Si toutefois les microbes sont trop nombreux ou trop virulents, la défense de l'organisme est vaincue; ils s'y propagent et la maladie se déclare.

Un deuxième mécanisme de défense intervient alors. Les globules blancs, dont les phagocytes représentent une catégorie, sécrètent certaines substances, appelées anticorps, qui ont pour effet d'agglutiner les cellules microbiennes ou de neutraliser le poison ou toxine, qu'elles sécrètent. D'une façon ou d'une autre, les anticorps arrêtent la multiplication des germes, les rendent inoffensifs. Ils protègent l'organisme, lui permettent de résister à l'infection.

Actinomycès, bactérie du genre moisissure, cause de maladies

Pour aider un malade à combattre l'infection, le médecin peut lui inoculer des anticorps. Il peut aussi aider l'organisme à en produire, en le vaccinant. Un vaccin est une solution contenant des germes de maladies, atténués ou tués. Lorsque cette solution est introduite dans l'organisme, celui-ci produit des anticorps qui luttent contre ces microbes. S'il y a suffisamment d'anticorps, la personne sera immunisée contre la maladie, elle résistera au microbe qui la cause. Tout le monde est aujourd'hui vacciné contre la variole. La petite marque sur le bras ou la jambe indique que la personne est immunisée contre les germes de la variole, que le vaccin "a pris", déclenchant la production des anticorps spécifiques de cette maladie.

LA LUTTE CONTRE LES GERMES NOCIFS

La destruction des germes nuisibles est très importante. La lutte contre ces agents de maladies fait partie des activités quotidiennes et peut être conduite de plusieurs façons.

Pour exercer leur activité et se multiplier, les microbes ont besoin d'eau et de nourriture, à défaut desquelles ils meurent ou deviennent inactifs. La première des protections est de garder les aliments au frais et au sec, là où les microbes ne peuvent se développer.

La lumière du soleil est un agent actif de destruction des microbes; les rayons solaires purifient l'atmosphère et empêchent la prolifération des germes là où ils arrivent.

Les changements de température affectent les microbes: la chaleur intense est un des meilleurs moyens de les supprimer. La combustion, l'ébullition, la cuisson, la stérilisation sont des procédés d'usage courant: on pasteurise le lait, on brûle les déchets, on stérilise les biberons à la vapeur. Dans les hôpitaux, on stérilise les instruments chirurgicaux, on fait bouillir le linge des malades, on tue par la chaleur les microbes des pansements et compresses, pour qu'ils soient stériles. Certains produits chimiques, antiseptiques et germicides, détruisent aussi les microbes. Sur une plaie, il est recommandé d'appliquer de l'iode, du mercurochrome ou de l'alcool, après l'avoir nettoyée.

A la maison, on purifie l'air d'une pièce en y vaporisant en brume fine des produits désinfectants ou en en ajoutant à l'eau avec laquelle on lave le carrelage. Lorsqu'on se lave les mains au savon, on les débarrasse de certains microbes en même temps que de la saleté.

La propreté est encore le moyen le plus simple de combattre les germes nocifs mais, avant tout, un corps sain, soigné, nourri d'une manière suffisante et rationnelle, pourra le mieux se défendre contre eux.

CEUX QUI ONT OUVERT LA VOIE

Avant Lazzaro Spallanzani, savant italien du XVIIIe siècle, on ignorait d'où venaient les microbes. On pensait communément qu'ils apparaissaient spontanément, sans l'intermédiaire de germes antérieurs. Spallanzani prouva l'absurdité de cette théorie, en montrant que, dans un bouillon qu'on avait longtemps fait bouillir et mis dans un flacon scellé, il n'y a point de microbes. Ceux qui s'y trouvaient auparavant, ayant été tués par la chaleur, ne se reproduisaient plus. La théorie dite de la génération spontanée s'avérait ainsi dénuée de fondement.

C'est à Edward Jenner, médecin anglais, qu'on doit la découverte de la vaccination. En 1796, il inocula à un jeune garçon de la matière prélevée sur les pustules qu'une fermière avait à la main. Elle avait, en trayant ses vaches, attrapé la vaccine, maladie sœur de la variole. Plus tard, au cours d'une épidémie de variole, le jeune garçon fut indemne, ce qui prouvait la valeur de la vaccination. Par la suite, cette méthode se répandit et fut perfectionnée.

Le naturaliste et physiologiste allemand Theodor Schwann fut un adversaire déclaré de la théorie de la génération spontanée et s'attacha à prouver que les fermentations étaient dues à des organismes vivants et que les levures en étaient. Ses recherches et ses expériences ont ouvert la voie à celles de Lister et de Pasteur.

En 1865, Joseph Lister, chirurgien anglais, fut le premier à faire des interventions chirurgicales dans des conditions d'asepsie, en appliquant du phénol sur les plaies, ce qui en éliminait les germes nocifs. Sa méthode améliorée constitue la base de l'asepsie chirurgicale moderne.

Robert Koch, un modeste médecin de campagne allemand, prouva, en 1876, que chaque type de microbe détermine une maladie particulière. On lui doit la découverte du bacille de la tuberculose, d'une importance capitale. Il fut aussi le premier à cultiver des colonies de microbes sur des milieux solides, ce qui permit bien des recherches par la suite. Par exemple, en isolant la bactérie du charbon, il permit à Pasteur de faire le vaccin contre cette maladie.

En 1944, Selman A. Waksman, savant américain et prix Nobel de médecine, découvrit la streptomycine, antibiotique des plus répandus, tiré d'un micro-organisme du sol.

Contre la poliomyélite, deux chercheurs américains ont mis au point deux vaccins. Celui du Dr Jonas E. Salk, datant de 1955, est fait avec des virus tués. Celui du Dr Albert B. Sabin, datant de 1957, est fait avec des virus vivants atténués et a l'avantage de s'administrer en une seule dose, prise par la bouche. En France, le docteur Pierre Lépine en a préparé un similaire à celui de Salk.

PETITS MAIS SI PUISSANTS!

La science sait aujourd'hui tirer profit des microbes utiles aussi bien que combattre et limiter les effets nocifs des autres. Plus que jamais, le rôle joué dans notre vie par les microbes, est important.

Au cours de leurs recherches, les hommes de science ont tiré de ces particules de matière vivante bien des informations éclairant le mystère des fonctions de l'organisme humain. L'étude des processus chimiques qui entretiennent la vie des bactéries et moisissures a aussi apporté des renseignements sur les processus vitaux de tous les êtres vivants. L'observation des microbes a permis d'élucider le mécanisme d'action des vitamines et celui de défense du corps humain contre la maladie. L'étude de ces infiniment petits est une mine inépuisable de renseignements qui, avec le temps, dissiperont le mystère de la vie même.

Les microbes n'ont pas fini de nous étonner. Silencieux et invisibles, ils suivent le cours de leur vie et, ce faisant, rendent à l'humanité bien des services: ils permettent la croissance des plantes, débarrassent la terre des détritus, servent à la préparation de certains aliments et fournissent les éléments chimiques des antibiotiques qui ont sauvé tant de vies. Et l'on escompte en tirer bien d'autres profits encore, car leur puissance est incroyable.

LES COW-BOYS

B

T-

-L

L-X

C

M

B

J-Y

-O

N-

-N

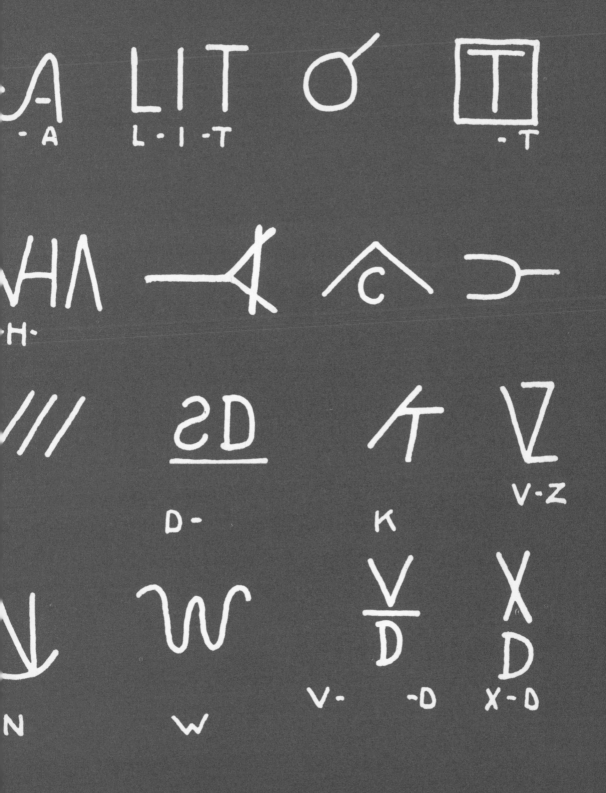

LES COW-BOYS

par BENJAMIN BREWSTER

Illustrations par WILLIAM MOYERS

Version française par BÉATRICE CLÉMENT

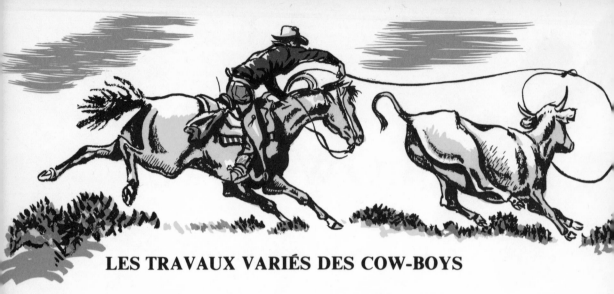

LES TRAVAUX VARIÉS DES COW-BOYS

Le mot cow-boy fait penser aux immenses plaines où le bétail paît en liberté. On imagine le cow-boy sur un cheval sauvage qui se cabre. Son lasso tourbillonne et s'abat sur un veau ou sur les cornes d'un taureau. Selon le pays où il travaille, le gardien de bêtes à cornes peut porter différents noms, gaucho ou gardian par exemple.

Dans la grande ferme d'élevage ou ranch, le cow-boy s'occupe à bien d'autres tâches. Il dompte et dresse les chevaux sauvages pour en faire des bêtes domestiquées et utiles. Il ferre son cheval aussi bien que le maréchal-ferrant et raccommode sa selle. Il prend au piège les animaux prédateurs, tels que les loups et les ours, qui harcèlent le troupeau. Il soigne les bêtes malades ou blessées. L'hiver, du haut d'un avion, il lance parfois du foin aux animaux isolés dans les champs couverts de neige.

Il s'y connaît également en cuisine car il doit préparer lui-même ses repas quand il travaille loin du ranch.

Il répare les clôtures, conduit des attelages, aide à éteindre un feu de forêt ou de prairie. Mais le cow-boy est connu surtout pour ses prouesses équestres: il monte n'importe quelle sorte de cheval, par n'importe quel temps, sur n'importe quel terrain.

Le ranch sert, en fait, de quartier général. C'est le cœur du domaine. Là s'élèvent la maison du propriétaire et de sa famille, les cabanes des cow-boys, les *corrals* (enclos ou parcs) et les écuries. Au-delà s'étend le *range,* immensité sans routes ni habitations où le bétail erre à sa guise, broute et engraisse.

Le *range* s'étend à perte de vue sur la plaine ou sur des collines, et parfois même en haute montagne. Certains sont entourés de clôtures, d'autres ne comportent aucune barrière. Le meilleur est celui qui offre beaucoup d'herbe à brouter et permet de longues errances.

Si les animaux erraient constamment, ils ne pourraient fournir à l'homme ni viande ni cuir. C'est pourquoi la tâche principale du cow-boy est de les ramener au ranch, puis de les conduire au marché. Deux fois par an, il part à la recherche des bêtes et les rassemble en un seul grand troupeau.

Les activités des cow-boys sont trop nombreuses pour être décrites ici en détail. Cet ouvrage en présente quelques-unes, auxquelles participent la plupart de ces gardiens de vaches. Certaines tâches et coutumes n'ont pas varié depuis les jours lointains où les premiers pionniers commencèrent à rassembler le bétail et les chevaux sauvages qui peuplaient l'immensité inexplorée de l'Amérique du Nord.

Il faut de longs efforts et un entraînement intensif pour réussir dans ces diverses tâches. Nul ne devient expert en une ou même deux années.

Les cow-boys ne consacrent pas tout leur temps à soigner leurs chevaux et le bétail. Ils ont aussi l'occasion de voyager d'un bout à l'autre de leur pays et de participer à des rodeos au cours desquels ils font preuve de leur virtuosité au lasso et au domptage.

Dans les ranches où les citadins peuvent apprendre à monter et à vivre en plein air, le cow-boy se transforme en professeur.

S'il ne trouve pas d'emploi au ranch ou s'il en a l'occasion, le cow-boy peut jouer dans certains films. Les producteurs ont besoin de lui pour les scénarios qui ont trait au Far West car peu d'acteurs sont capables d'accomplir les exploits d'un homme du métier.

Les cow-boys se donnent plusieurs surnoms, généralement en rapport avec leurs occupations.

LES VÊTEMENTS DU COW-BOY

Shorty est un cow-boy qui travaille dans un ranch important. Au début du printemps, avec les autres cow-boys, il se prépare au rassemblement du bétail.

Le matin, Shorty s'éveille avant l'aube. Il endosse les vêtements de son métier, puis se coiffe de son chapeau.

Le chapeau sert à plusieurs usages. C'est, en quelque sorte, un outil pour lequel il a payé un prix élevé. Lorsqu'un cheval sauvage furieux tente de le désarçonner, Shorty s'évente avec son chapeau pour montrer qu'il lui suffit d'une main pour rester en selle.

Diabolo, le cheval de Shorty, ne se cabre plus. Parfaitement dressé, le voici devenu le collaborateur indispensable et l'ami de son maître.

En conduisant le troupeau, il arrive à Shorty de brandir son chapeau. Effrayées, les bêtes se détournent. Elles prennent alors la direction que l'homme veut leur imposer.

Le large bord du chapeau donne de l'ombrage. L'air à l'intérieur de la haute calotte rafraîchit. Shorty a-t-il soif ? A la première source, il puise de l'eau avec son chapeau parfaitement imperméable, et si grand que Diabolo lui-même s'y désaltère aisément.

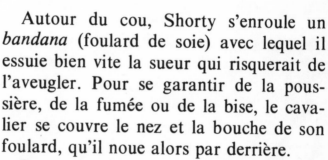

Autour du cou, Shorty s'enroule un *bandana* (foulard de soie) avec lequel il essuie bien vite la sueur qui risquerait de l'aveugler. Pour se garantir de la poussière, de la fumée ou de la bise, le cavalier se couvre le nez et la bouche de son foulard, qu'il noue alors par derrière.

Par temps froid, il transpire en travaillant et grelotte quelquefois à la halte. C'est pourquoi il aime porter une chemise de flanelle, commode en tous temps et qui lui évite un refroidissement. Par-dessus sa chemise, il endosse un court blouson de cuir.

Le cow-boy porte un pantalon d'un genre spécial, assez collant, fait d'un

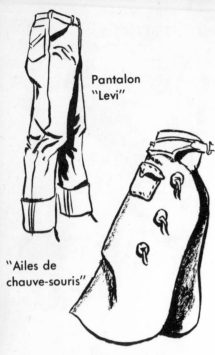

Pantalon "Levi"

"Ailes de chauve-souris"

tissu rude et solide. On appelle aussi ce pantalon "Levi", du nom de celui qui en fut le premier fabricant.

UTILITÉ DES JAMBIÈRES

Par-dessus son pantalon, Shorty enfile des jambières en chevreau ou en un autre cuir, attachées à une ceinture et appelées *chaps*. Elles le protègent de la pluie et des broussailles à travers lesquelles Diabolo fonce avec entrain. Parfois, quand Shorty met pied à terre pour lier une bête qui se débat, il appuie la corde sur ses jambes et les jambières protègent celles-ci contre le frottement. Il existe plusieurs sortes de jambières. Certaines sont en "ailes de chauve-souris".

Jambières à revolver

Jambières en chevreau

BOTTES ET ÉPERONS

Des motifs de cuir ornent les bottes de Shorty. Les hauts talons, inclinés vers l'avant, gênent la marche, mais ils conviennent très bien pour le travail du cow-boy. Grâce à leur bout pointu, le pied glisse facilement dans l'étrier, où le haut talon le maintient fermement. Au sol, Shorty s'agrippe à la corde qui entrave un cheval rétif ou une vache qui regimbe; son haut talon profondément enfoncé dans la terre, il s'arc-boute et tient bon.

Pour compléter sa tenue, Shorty porte des éperons agrémentés de petites roues nommées molettes qui tintent quand il est à cheval ou s'en va à pied. Assez coupantes pour faire mal, les molettes servent d'avertissement plutôt que de punition. Le cow-boy aurait honte de blesser son cheval. Le seul cliquetis des éperons suffit, la plupart du temps, pour faire obéir un cheval capricieux.

UNE JOURNÉE TYPIQUE

Après un petit déjeuner copieux au ranch, Shorty va chercher sa selle, rangée là où ni veaux ni vaches ne peuvent l'atteindre pour la mâchonner. Puis, avec les autres cow-boys, il gagne le *corral,* vaste enclos vers lequel on a dirigé les chevaux afin de les attraper sans peine. Shorty jette sa selle sur la clôture et entre pour choisir la bête qu'il montera aujourd'hui. Dans les grands ranches, les hommes ne montent pas leur propre cheval pour les tâches journalières. Le propriétaire leur en donne d'autres.

La plupart de ces chevaux, encore un peu sauvages, n'attendent pas docilement qu'on les selle. Shorty prend au lasso le cheval de son choix et l'attire près de la clôture.

154

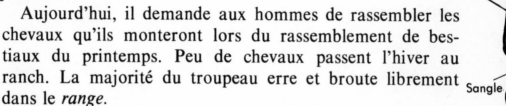

Le tenant d'une main, il saisit la selle de l'autre et la lui lance sur le dos. Il attache la sangle, large bande qui tient la selle en place.

Le cheval de Shorty exécute quelques sauts de mouton avant de galoper vers le contremaître, près duquel les divers cowboys attendent des directives pour la journée.

Aujourd'hui, il demande aux hommes de rassembler les chevaux qu'ils monteront lors du rassemblement de bestiaux du printemps. Peu de chevaux passent l'hiver au ranch. La majorité du troupeau erre et broute librement dans le *range*.

Shorty et ses camarades rassemblent plus de deux cents chevaux. Trottant derrière et de chaque côté du troupeau, les hommes les mènent au ranch.

LE RASSEMBLEMENT DES CHEVAUX

Le lendemain, le contremaître indique à Shorty les chevaux qu'il emploiera pour le rassemblement du printemps. Ayant un vaste territoire à parcourir, Shorty se voit attribuer douze bêtes. Les unes, seulement à demi domptées, serviront aux plus longues courses, à la recherche du

155

bétail. Les trois meilleurs chevaux sont dressés pour aider les hommes dans leurs travaux. Shorty monte sur l'un de ces chevaux lorsqu'il pourchasse un bœuf pour le séparer du troupeau ou quand il galope à la poursuite d'un veau affolé pour le prendre au lasso.

Deux autres chevaux sont dressés pour le travail de nuit. A tour de rôle, tandis que les autres dorment, deux cowboys font le tour du troupeau afin qu'aucune bête ne s'en écarte. Shorty a aussi dans son groupe deux ou trois chevaux sauvages qu'il dressera peu à peu au cours du rassemblement.

LA REMUDA

Maintenant, le groupe de Shorty et ceux de ses compagnons sont complets. L'ensemble forme ce que l'on appelle la *remuda,* mot espagnol signifiant "chevaux de remplacement". Deux hommes en ont la charge pendant la durée du rassemblement: Spud, le gardien qui surveille les chevaux dans la journée et s'assure qu'il y a suffisamment

de fourrage prêt pour la soirée, et Jim, le gardien de nuit.

Les chevaux les plus difficiles à monter forment le groupe des "durs". Il échoit à Pedro, le meilleur cavalier de l'équipe. A la fin du rassemblement, la plupart de ces bêtes seront devenues dociles, mais pas toutes. Même lui ne peut dompter certains chevaux. Heureusement, ils ont de la valeur malgré leur mauvais caractère. Le propriétaire du ranch les vend aux organisateurs de rodeos. Ceux-ci recherchent ces chevaux non domestiqués qui, ne s'habituant jamais au cavalier, pratiquent toujours le saut de mouton pour se débarrasser de lui.

Avec un lasso au bout d'une perche, le cavalier mongol capture un poney rétif. Il lui saisit la queue et se fait traîner jusqu'à ce que la bête, épuisée, soit docile et prête au dressage.

Le cow-boy australien appelle un cheval sauvage un *brumby*. Aux rassemblements, il dompte les chevaux.

En allant jadis dans le Nouveau Monde, le *vaquero* d'Espagne légua au Mexicain certaines façons de se vêtir et de travailler, dont le cow-boy nord-américain hérita à son tour.

Assis sur une épaisse peau de mouton, le *gaucho* galope à travers les pampas de l'Argentine.

En Espagne, le gardien de troupeaux pousse le bétail à l'aide d'une perche. En France le gardian mène la manade de bœufs sauvages à travers la Camargue.

Un avion dirige, par radio, ce gardien de bétail du Kazakhstan qui, à dos de chameau, mène vers l'ouest une partie d'un troupeau d'un million de têtes.

LE RASSEMBLEMENT DE PRINTEMPS

Au ranch, branle-bas général pour le rassemblement de printemps. De bon matin, le cow-boy désigné comme chef de file s'éloigne le premier, avec mission de choisir le lieu du campement. Derrière lui, un robuste chariot débordant de marmites et de victuailles s'ébranle à son tour. Twisty, le cuisinier, mène les quatre chevaux qui y sont attelés.

Le chariot sur lequel on entasse les sacs de couchage et les lassos en surplus, est conduit par l'aide-cuisinier.

Dans les régions désertiques, un troisième chariot suit, emportant de l'eau et du bois pour les feux de camp. Jim, surnommé "la hulotte", tient les rênes. Certains jours, malgré les chemins cahoteux et les soubresauts du véhicule, il s'endort sur son siège: N'est-il pas le gardien de nuit?

Puis, les chevaux de la *remuda* prennent place dans la colonne. Spud les surveille afin de n'en perdre aucun.

Fermant la marche, voici les cow-boys, droits en selle, éperons tintants. Le soleil levant illumine le nuage de poussière soulevé par la multitude de sabots.

IMPORTANCE DE LA NOURRITURE

Twisty prépare le repas sur un feu de camp, dès qu'il arrive à l'endroit choisi par le chef de file. Dans la marmite qu'il suspend à une baguette fixée entre deux pieux, des haricots secs mijotent. Pour les remuer, il soulève le couvercle à l'aide d'une crémaillère. Il met aussi le café à chauffer et fait des biscuits dans un récipient en fonte, aux pieds posés à même le feu.

Le lendemain, Twisty cuira peut-être des pâtés dans ce même récipient, ou bien un ragoût de pommes de terres et de bœuf. Il sert souvent des tomates en conserve, froides, régal des cow-boys.

Twisty crie: "Venez vite ou je jette tout!" Shorty et ses compagnons s'alignent près du chariot-cantine, dont le hayon arrière s'abaisse pour former comptoir. Chacun prend une assiette et une tasse en fer-blanc, un couteau et une fourchette, puis se dirige vers les marmites.

Au cours des repas, le cow-boy observe de strictes règles de politesse qui ne correspondent sans doute pas toujours aux nôtres. Toutefois, il a soin de ne pas manger plus que sa part et de ne pas bousculer ni ennuyer son voisin.

Shorty tient une assiette copieusement garnie d'une main, une tasse pleine de café brûlant de l'autre. Il croise les jambes et se laisse choir sans rien renverser. Assis en tailleur, il ne gêne personne avec ses pieds. L'assiette sur les genoux, le chapeau sur la tête, il mange de bon appétit.

Shorty n'enlève jamais son chapeau pour manger; il avale toujours son repas en vitesse. Il ne veut pas faire attendre ses camarades, s'il y a un travail à exécuter.

Le premier, Pedro reprend des haricots. Il se lève, sans l'aide de ses mains, et se sert. Quelqu'un s'exclame: "Un homme au pot!" Cela signifie que Pedro doit servir tous les cow-boys assis qui réclament une seconde assiettée.

L'INSTALLATION POUR LA NUIT

Shorty cherche un endroit où étendre son sac de couchage pour dormir confortablement. Ce sac lui sert à la fois de lit et de malle: il contient tout ce qu'il possède, tout ce qu'il a amassé au cours des années sauf, bien entendu, sa selle, son cheval Diabolo et son cheval de bât.

En guise de matelas, Shorty utilise deux ou trois couvre-pieds pliés en deux. Entre ces couvre-pieds, il étale ses vêtements propres, y compris son costume de ville, afin que tout soit en ordre et bien repassé (!) quand il en aura besoin. Une grande bâche, posée à terre sous le sac de couchage, garantit le dormeur contre l'humidité. Pour se couvrir, le cow-boy dispose d'un autre couvre-pieds et de quelques couvertures. Les bords de la bâche ramenés par-

dessus le tout protègent de la poussière, de la pluie ou de la neige, suivant la saison.

Shorty entasse son linge sale au pied du sac de couchage, en attendant l'occasion de le laver. Il place ses bottes et ses lassos de chaque côté de son lit. Un vieux sac vide de farine, qu'il appelle son "sac de guerre", lui sert d'oreiller. Il l'emplit de menus objets: son rasoir, une deuxième paire d'éperons, ses lettres et ses souvenirs. Pas moelleux, cet oreiller! Mais le cow-boy s'en accommode.

Shorty laisse d'habitude son fusil au ranch. S'il l'emporte, il le glisse sous l'oreiller pour la nuit.

LA RONDE SOLITAIRE

Jim surveille la *remuda* pendant le sommeil de Shorty et de ses camarades. Parfois, au cours du rassemblement, la *remuda* est enfermée dans un *corral* démontable fait de cordages. D'autres fois, les chevaux paissent en liberté. Le gardien encercle le groupe, au pas tranquille de sa monture, pour prévenir toute évasion.

Pour égayer sa ronde solitaire, Jim chante presque sans arrêt. Sa voix rassure et contente les chevaux. Voici quel-

ques lignes d'une chanson composée par les cow-boys pour accompagner leur ronde de nuit.

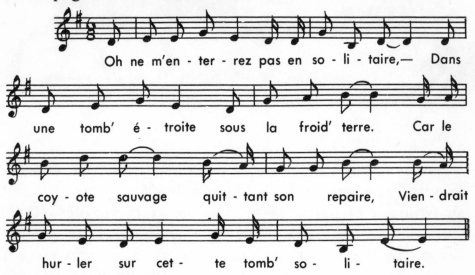

Oh ne m'en-ter-rez pas en so-li-taire,— Dans

une tomb' é-troite sous la froid' terre. Car le

coy-ote sauvage quit-tant son repaire, Vien-drait

hur-ler sur cet-te tomb' so-li-taire.

LA GRANDE BATTUE

Après s'être restaurés, le lendemain matin, les cow-boys suivent Jake, le contremaître, qui les entraîne au loin, dans le *range*.

Enfin, Jake s'arrête. Il choisit deux hommes et les envoie jusqu'à la colline qui barre l'horizon. Ils feront ensuite demi-tour et commenceront à traverser la plaine, à la recherche des bestiaux. Ils contourneront chaque rocher, chaque buisson afin de s'assurer qu'aucune bête ne s'y cache. Plus loin, Jake fait partir deux autres cow-boys, puis encore deux et ainsi de suite.

Suivons Shorty et Pedro, les meilleurs cavaliers, chargés du plus vaste territoire. Ils trouvent bœufs, vaches et veaux au pâturage et parmi la broussaille. A la vue des rabatteurs, les ruminants se déplacent. Les hommes se postent devant eux, les forçant à se déplacer encore, et cela jusqu'à ce que les bêtes prennent la bonne direction. A mesure qu'elles avancent, d'autres se joignent à elles. Peu à peu, les petits groupes rassemblés par chaque équipe se fondent en un seul grand troupeau. Sur un *range* étendu, comprenant de nombreuses bêtes, ce travail demande plusieurs jours.

A l'approche du camp, quelques hommes restent auprès du bétail; les autres en profitent pour aller prendre un solide repas et changer de chevaux. On va maintenant séparer les veaux de leur mère pour les marquer au sceau du propriétaire. Pour ce faire, le cow-boy a besoin d'un cheval dressé à collaborer avec lui.

La marque permet au propriétaire de reconnaître son

bétail. On l'imprime au fer rouge. Le veau n'en souffre presque pas et la garde toujours.

Pour rassembler les veaux, Shorty et son cheval doivent agir le plus vite possible. Vifs et souples, ils virevoltent et se faufilent parmi les centaines d'animaux jusqu'à ce que les veaux soient mis à part. Il faut ensuite lier chacun d'entre eux pour lui imposer la marque.

Shorty s'y prend de la manière suivante: il attache une extrémité du lasso au pommeau de sa selle et lance la boucle formée à l'autre bout. Après avoir tournoyé, celle-ci s'abat sur le veau. L'homme saute à terre, le cheval s'arrête net et maintient la corde tendue. Le nœud coulant se resserre autour du cou de l'animal qui fuyait. Shorty attrape la bête, la jette à terre et lui lie trois pattes pour prévenir les ruades pendant l'imposition de la marque à l'épaule, sur le flanc ou sur la croupe.

Dans certains ranches, on procède autrement. Au lieu de le lier, on pousse le veau dans un enclos minuscule à côtés

167

mobiles. On rapproche ces côtés, qui serrent l'animal et l'empêchent de s'agiter pendant qu'on le marque au fer. Peu de ranches possèdent ces enclos mobiles.

Souvent, les cow-boys entaillent d'une certaine façon une des oreilles du veau. Ce signe distinctif s'ajoute à la marque. On voit plus facilement l'oreille que la croupe ou l'épaule d'une bête qu'on cherche dans le troupeau.

Tel propriétaire survole ses pâturages en avion. Chez lui, les bêtes portent la marque sur le dos; il la verra mieux du haut des airs.

Chaque propriétaire choisit une marque bien à lui et facilement reconnaissable: de simples lettres, des lettres associées à des chiffres ou une lettre posée d'une certaine manière, couchée par exemple. On dit alors "fainéant". Les bêtes marquées ainsi ഗ appartiennent au ranch "S fainéant".

Une lettre ou un chiffre entouré d'un carré comme ceci ⬛, s'appelle une marque "en boîte".

168

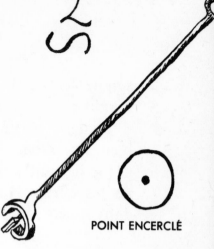

MARQUES ET VOLEURS

Certaines marques sont plus compliquées. Les cow-boys savent cependant bien les lire: de haut en bas, comme celle illustrée ci-contre, de l'extérieur vers l'intérieur, et de gauche à droite.

POINT ENCERCLÉ

Le fer à marquer est constitué d'un long manche terminé par la marque en relief, qu'on imprime d'un coup sur la peau. Un fer dont le bout s'achève en pointe arrondie sert surtout aux voleurs de bétail, pour maquiller une marque. Supposons qu'un voleur dérobe un veau marqué d'un P. Il utilise son fer comme un crayon, trace un demi-cercle et change le P en B. Après quoi, il jurera que le veau lui appartient.

C-BARRE-U

Le voleur s'empare aussi de bêtes non marquées, leur imprime une fausse marque et les vend. Aujourd'hui, la plupart des voleurs n'emploient plus le fer. Ils amènent leur prise à un camion frigorifique qui les attend. Ils tuent et débitent les bêtes sur place, détruisant les peaux qui les dénonceraient, puis chargent dans le camion la viande qu'ils vont vendre directement au marché.

Au cours du rassemblement de printemps, le cow-boy

soigne le bétail malade. Il se sert d'une grande seringue hypodermique pour vacciner les veaux.

Toutes ces tâches ne peuvent s'accomplir en un jour, bien sûr. Donc, les cow-boys prennent, à tour de rôle, la garde de nuit pour surveiller les bêtes et s'assurer que rien ne les effraie. La moindre chose risque de les affoler, et dans ce cas, on peut craindre une panique générale.

LA PANIQUE

Une nuit, un orage éclate pendant la ronde de Pedro. Il endosse sa veste, toujours pendue à sa selle, et se tient sur ses gardes. Il craint fort que la tempête ne lui cause des ennuis. Par contre, il sait que ses camarades au camp selleront leurs chevaux et, au besoin, accourront à son aide.

Soudain, un éclair illumine la prairie et les bêtes. Pedro voit qu'elles s'énervent. Le tonnerre éclate, d'autres éclairs strient l'obscurité. Saisis de terreur, les animaux s'ébranlent. Puis, une course folle les emporte vers un ravin. Ceux qui y tomberont mourront là, Pedro le sait. Il va prendre un risque: celui d'être écrasé par la ruée sauvage.

Galopant dans les ténèbres, le cow-boy siffle, hurle et agite sa veste, enlevée à la hâte, devant les bêtes qui mènent la débandade. Elles obliquent, évitant l'homme et sa monture, laissant à droite le ravin périlleux. Tout le troupeau suit. Pedro a eu peur, mais il a sauvé ses bêtes.

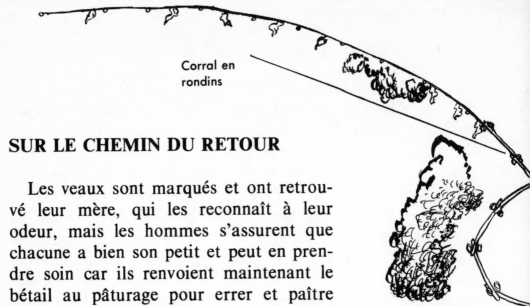

Corral en
rondins

SUR LE CHEMIN DU RETOUR

Les veaux sont marqués et ont retrouvé leur mère, qui les reconnaît à leur odeur, mais les hommes s'assurent que chacune a bien son petit et peut en prendre soin car ils renvoient maintenant le bétail au pâturage pour errer et paître librement jusqu'à l'automne.

Les cow-boys attellent les chevaux aux différents chariots et se préparent au voyage de retour. Le rassemblement du printemps est terminé. Il faut retourner au ranch le plus vite possible.

LE RASSEMBLEMENT DES CHEVAUX

Après le rassemblement des bestiaux, vient le travail le plus intéressant pour les bons cavaliers comme Shorty et Pedro. Ils ratissent la plaine à la recherche des chevaux sauvages qui n'ont jamais connu d'écurie ni de *corral*. On rassemble moins facilement des chevaux indomptés que du bétail. Le cheval, intelligent et vif, invente mille ruses pour s'esquiver.

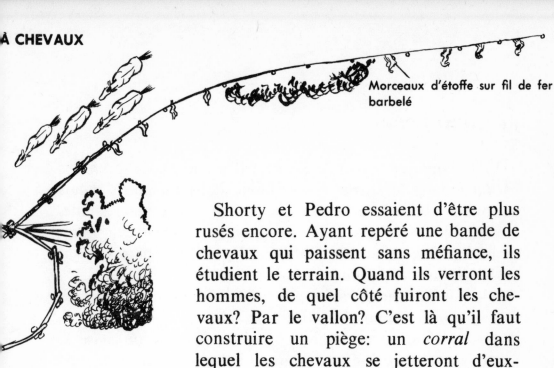

Morceaux d'étoffe sur fil de fer barbelé

Shorty et Pedro essaient d'être plus rusés encore. Ayant repéré une bande de chevaux qui paissent sans méfiance, ils étudient le terrain. Quand ils verront les hommes, de quel côté fuiront les chevaux? Par le vallon? C'est là qu'il faut construire un piège: un *corral* dans lequel les chevaux se jetteront d'eux-mêmes. Une clôture partira de chaque côté du vallon et, comme un entonnoir à large ouverture, se rétrécira jusqu'à l'entrée du *corral*. Maintenant, quelques cow-boys contournent les chevaux, en ayant soin de se montrer seulement quand ils se trouvent dans la direction opposée au piège.

Les chevaux les voient et s'enfuient. Des hommes surgissent, postés de façon à empêcher les fuyards de prendre un autre chemin que celui de la vallée. La plupart des chevaux, engagés dans l'entonnoir, se précipitent dans le *corral*. Il ne reste qu'à fermer la barrière.

C'est à présent que commence le domptage des chevaux, le travail qui plaît le plus aux cow-boys. Chacun s'y prend de manière différente. Le but est le même: habituer le cheval sauvage à la selle et au cavalier.

LE DOMPTAGE

Voici comment procède Shorty: il prend au lasso un des chevaux dans le *corral* et l'entraîne dans un autre enclos au milieu duquel se dresse un poteau court mais solide. Lâché, le cheval caracole, se croyant de nouveau libre, mais d'un lancer adroit, Shorty lui prend les pattes avant au lasso, juste au moment où il se cabre.

D'un mouvement rapide, le cow-boy enroule plusieurs fois sa corde autour du poteau. Le cheval, qui tente de se dégager, trébuche et tombe. Aussitôt, Shorty lui passe le licou, sorte de bride sans mors. Ensuite, il attache une patte arrière de façon à ne pas recevoir de coup de sabot quand il permettra au cheval de se relever.

Il le laisse quelque temps à terre, simplement pour montrer que c'est l'homme qui commande. Ensuite, il le promène autour du parc, clopinant sur trois pattes. Ce traitement durera plusieurs jours peut-être, jusqu'à ce que le cheval semble assez docile pour marcher normalement sans regimber.

Maintenant, le cheval sauvage doit apprendre à tolérer quelque chose sur son dos. Shorty lui frôle les reins avec un vieux sac, puis il lui jette la selle sur le dos, l'enlève immédiatement et la remet un peu plus tard. Il répète ces gestes jusqu'à ce que le cheval y soit habitué.

Plusieurs jours, des semaines peut-être, s'écouleront avant que Shorty puisse seulement tenter de monter le cheval. Un matin, selle en place, sangle attachée, il monte d'un bond et se prépare au pire. Sauts de mouton, ruades, virevoltes: la bête furieuse cherche rageusement à se débarrasser de ce poids inusité. Bride d'une main, chapeau de l'autre, Shorty se maintient en selle jusqu'à ce que le cheval, épuisé, cesse de sauter et commence à galoper.

Le cheval se cabrera encore, sans doute, la prochaine fois que Shorty le montera, mais la plupart des chevaux finissent par comprendre que l'homme est leur ami. Ils se calment et, d'ennemis, deviennent collaborateurs. Les cow-boys aiment leurs chevaux et ne les maltraitent pas.

Quelquefois, un cheval plus rusé oblige Shorty à saisir le pommeau de la selle pour ne pas être démonté. Il déteste en venir là; il lui semble qu'alors le cheval l'a vaincu.

Le troussequin relevé aide le cow-boy à garder son équilibre et à rester en selle quand le cheval proteste à sa façon. L'homme risque de se faire écraser les pieds sous un cheval qui tombe. Les étriers en bois de noyer, presque aussi dur que le fer, le protègent contre ce danger.

SURVEILLANCE

Pendant que Pedro et Shorty domptent les chevaux, Pat et Buck s'occupent de la surveillance générale. Durant l'été, ils habitent une cabane éloignée, au cœur des pâtura-

176

ges, qu'ils parcourent toute la journée afin de s'assurer que leurs bêtes à cornes ne s'égarent pas. Ils renvoient les bêtes appartenant à d'autres ranches. Ils inspectent et, au besoin, réparent les clôtures, lorsque le *range* en est pourvu.

Parfois, une bête s'embourbe. Buck lui prend les cornes au lasso, attache la corde au pommeau de sa selle et, aidé par son cheval, la tire du marais. Il soigne les animaux malades dans le parc-hôpital, près de sa cabane.

Il arrive que Pat et Buck ne voient pas âme qui vive pendant des semaines. Même si leur travail les occupe continuellement, ils s'ennuient un peu. Les vaches qui ne connaissent pas l'étable ne se tiennent jamais tranquilles assez longtemps pour être traites. Un jeune veau a-t-il perdu sa mère, quelque part dans la vaste plaine? Pat doit lier une vache pour la traire au profit du petit affamé.

LE RODEO

Tous les cow-boys qui peuvent s'absenter du ranch gagnent la ville pendant l'été, saison des rodeos. Ces jeux et concours attirent les foules. Chaque concurrent fait preuve de son habileté dans les divers travaux de son métier. On organise aussi des épreuves plus fantaisistes: monter sans selle un cheval ou un bœuf non domestiqué, par exemple. Si ces exploits ne figurent pas parmi les tâches des cow-boys, il faut être du métier pour se risquer à ces jeux périlleux.

Les spectateurs envahissent la tribune. Pedro va tenter sa chance au concours de monte des chevaux sauvages.

Des hommes poussent le cheval indompté dans un enclos minuscule où il peut à peine bouger. On lui place un bandeau sur les yeux; on réussit à le seller. Pedro escalade la clôture de l'enclos, se laisse glisser sur le cheval. On arrache le bandeau, la porte de l'enclos s'ouvre et le cheval s'élance avec fureur, bien résolu à se débarrasser de l'ennemi qui le monte.

Pedro est d'autant plus content que le cheval se débat

178

avec plus d'ardeur. Il appuie légèrement ses éperons sur les flancs de l'animal: celui-ci rue et essaie de désarçonner le cavalier, puis il retombe sur ses pattes. Le cow-boy conserve son équilibre et reste en selle. Les juges l'observent attentivement et lui accordent des points.

Après que tous les concurrents ont subi l'épreuve, sur différents chevaux, les juges donnent le prix au meilleur cavalier.

Shorty s'inscrit au concours de prise des veaux. Cela se passe comme sur le *range*. Dès qu'un veau est lâché, Shorty, monté sur Diabolo, le poursuit, le lasso à la main. Il atteint et renverse la bête, lui lie les pattes puis lève les bras. Les juges, montre en main, notent le temps écoulé entre l'apparition du veau dans l'arène et sa capture. Le concurrent le plus rapide gagne un prix en espèces. Le temps, en moyenne? Trente, vingt-cinq et parfois seulement quinze secondes.

Si les cow-boys s'amusent aux rodeos, plusieurs d'entre eux ont vraiment besoin d'obtenir des prix. Sur le ranch, le travail est saisonnier; tous ne trouvent pas à s'embaucher.

Un autre concours oppose un homme à un bœuf sauvage. Le bœuf s'élance hors de l'enclos; le cow-boy galope à ses côtés et, soudain, saute sur lui et s'agrippe à ses cornes. Le gagnant est celui qui renverse l'animal dans le plus bref délai possible. Jeu dangereux! Un coup de sabot ou de corne laisse de mauvais souvenirs.

La course de chevaux sauvages ne ressemble pas à une vraie course. Les chevaux bondissent plutôt qu'ils ne courent. Ils pivotent sur eux-mêmes, renâclent, se cabrent. Celui qui parvient le premier, malgré tout, à dépasser une certaine ligne, gagne.

D'autres concours sont moins périlleux, tels les jeux du lasso, gracieux autant que difficiles et l'amusante épreuve qui impose au concurrent la traite d'une vache sauvage.

Le clown du rodeo monte souvent mieux que quiconque. Il se costume en fermier ou en citadin qui n'a jamais approché un cheval sauvage et fait mine de tomber, de

mille façons différentes, sans jamais vider les arçons. Ses acrobaties bouffonnes semblent drôles, sans plus. Le public des tribunes, égayé, ne sait pas combien elles sont dangereuses, ni à quel point il faut être expert cavalier pour les exécuter.

LE RASSEMBLEMENT D'AUTOMNE

Les chariots, la *remuda* et les cow-boys montés quittent le ranch à l'automne, comme au printemps. Les hommes rassemblent de nouveau le bétail et marquent les veaux nés depuis le rassemblement de printemps.

C'est le moment d'enlever les veaux à leur mère, pour les sevrer. Ayant appris à manger de l'herbe, ils ne doivent plus se nourrir de lait. On les conduit dans d'autres *corrals* ou vers d'autres herbages. Ceux qu'on juge utile de laisser à leur mère sont munis d'une muselière qui leur permet de brouter mais pas de téter.

Le principal objet du rassemblement d'automne est la

recherche de jeunes bovins pour la vente au marché. Lorsqu'ils ont rassemblé tous ces animaux, quelques cow-boys les conduisent à la gare et les font monter dans les wagons à bestiaux.

Pendant le rassemblement d'automne, les cow-boys chantent, comme chaque fois qu'ils se rencontrent. Certaines chansons, douces et apaisantes, conviennent aux veilles de nuit, car elles rassurent le bétail. D'autres, au contraire, sont entraînantes, avec des éclats bruyants. Les rabatteurs s'en servent pour faire circuler les bêtes qui paissent.

Une de ces chansons s'intitule : *la Piste de Chisholm*. La première partie se chante sur un ton normal. Soudain, le chanteur lance un "Ti-Yi-Yippee" retentissant. Les animaux, pris par surprise, vont brouter plus loin. L'homme les suit et recommence, de sorte qu'ils avancent toujours.

La Piste de Chisholm date des temps lointains où les cow-boys conduisaient d'immenses troupeaux vers le nord, vers les marchés aux bestiaux ou de nouveaux pâturages.

Le refrain d'une autre chanson multiplie les joyeux "Whoop-ee-tee-yi-yo", sons bien faits pour stimuler les animaux nonchalants, et que les cow-boys répètent avec vigueur.

Les hommes des prairies ont composé d'innombrables chansons. Elles dépeignent leurs travaux; elles racontent leurs ennuis, leurs tristesses, leurs espoirs.

VOICI L'HIVER

Après le rassemblement d'automne, le propriétaire du ranch congédie un certain nombre de ses employés. Le cow-boy sans emploi selle son meilleur cheval, attache ses

affaires sur sa bête de somme et trotte vers la ville la plus proche. Enfin quelques jours de vacances! Mais si sa bourse est trop plate, il va d'un ranch à l'autre, en quête d'une nouvelle situation.

Lorsque le cow-boy s'arrête à un ranch inconnu, il sait qu'on le recevra volontiers. On lui offrira le gîte et le couvert; on n'oubliera pas son cheval. L'hospitalité des éleveurs de bétail est spontanée et généreuse.

Certains cow-boys sont chargés de la surveillance du *range* pendant l'hiver. Comme en été, ils partent à deux et habitent la cabane des surveillants. Ils recherchent les bêtes souffrantes et les amènent au parc-hôpital. Neige-t-il au point d'empêcher le bétail de paître? Les hommes lui procurent le foin nécessaire. Au cours des hivers rigoureux, des avions ravitaillent les groupes d'animaux en détresse.

Le surveillant découvre parfois un veau né par mauvais temps. Il le hisse devant lui sur sa selle et l'amène à l'hôpital. Le veau se débat tout le long du trajet, et la mère, inquiète pour son petit, l'accompagne.

La surveillance comprend aussi la défense des animaux contre leurs ennemis naturels. Le cow-boy abat ou prend au piège les animaux prédateurs qui s'attaquent aux veaux. Bien que les loups soient rares aujourd'hui, il en trouve parfois, ainsi que des ours.

De temps à autre, une tempête de neige déferle sur la prairie. Le surveillant enfile des jambières en peau de mouton et se couvre les oreilles d'un foulard de laine, sous son chapeau. Le cheval avance avec peine; l'homme risque de s'égarer.

Pendant la tempête, les bêtes errent au hasard et ne reconnaissent pas les endroits dangereux. Le cow-boy essaie de les grouper, si possible, dans des coins abrités.

Il passe ainsi la journée entière dehors, au service de ses animaux. Le repas de midi? Il n'en est pas question. Mais le soir, bien au chaud dans sa cabane, il se prépare un bon dîner. Ensuite, il joue aux dames avec son camarade ou chante en s'accompagnant sur sa guitare, et tandis que le vent hurle dans la nuit, la veillée s'achève en musique.